第一部分　《山东省建筑工程消耗量定额》摘录

第一章　土石方工程

一、单独土石方（略）

二、人工挖土方

工作内容：挖土，装土，修整边底。　　单位：$10m^3$

定额编号			1-2-1	1-2-2	1-2-3	1-2-4
项　目			人工挖土方（深度）			
			2m 以内	2m 以外	2m 以内	4m 以内
			普通土		坚土	
名　称		单位	数　量			
人工	综合工日	工日	2.28	3.49	4.35	5.56

工作内容：(1) 挖土，弃土于槽边 1m 以外，修整边底。
(2) 槽底夯实。　　单位：$10m^3$

定额编号			1-2-10	1-2-11	1-2-12	1-2-13
项　目			人工挖土方（深度）			
			2m 以内	2m 以外	2m 以内	4m 以内
			普通土		坚土	
名　称		单位	数　量			
人工	综合工日	工日	3.22	4.39	6.35	7.15
机械	电动夯实机 20～62N·m	台班	0.018	0.008	0.018	0.008

工作内容：(1) 挖土，弃土于坑边 1m 以外，修整边底。
(2) 坑底夯实。　　单位：$10m^3$

定额编号			1-2-16	1-2-17	1-2-18	1-2-19
项　目			人工挖地坑（坑深）			
			2m 以内	2m 以外	2m 以内	4m 以内
			普通土		坚土	
名　称		单位	数　量			
人工	综合工日	工日	3.57	4.78	7.14	8.05
机械	电动夯实机 20～62N·m	台班	0.052	0.025	0.052	0.025

工作内容：装车，清理车下余土。　　单位：$10m^3$

定额编号			1-2-56	1-2-57
项　目			人工装车	
			土方	石渣
名　称		单位	数　量	
人工	综合工日	工日	1.56	2.09

三、机械土石方

工作内容：(1) 挖土，弃土于1m以外。

(2) 工作面内排水，清理机下余土，维护行驶道路。　　单位：$10m^3$

定额编号			1-3-9	1-3-10	1-3-12	1-3-13
项　目			挖掘机挖土方		挖掘机挖沟槽、地坑	
			普通土	坚土	普通土	坚土
名　称		单位	数　量			
人工	综合工日	工日	0.06	0.06	0.12	0.12
机械	履带式推土机 75kW	台班	0.002	0.002	0.002	0.002
	履带式单斗挖掘机（液压）$0.6m^3$	台班	—	—	0.028	0.031
	履带式单斗挖掘机（液压）$1m^3$	台班	0.018	0.023	—	—

工作内容：(1) 挖土，装土，运土，卸土，平整。

(2) 工作面内排水，清理就机下余土，维护行驶道路。　　单位：$10m^3$

定额编号			1-3-14	1-3-15
项　目			挖掘机挖土方　自卸汽车运土方	
			运距1km以内	
			普通土	坚土
名　称		单位	数　量	
人工	综合工日	工日	0.09	0.09
材料	水	m^3	0.1200	0.1200
机械	履带式推土机 75kW	台班	0.023	0.029
	自卸汽车 8t	台班	0.101	0.120
	洒水车 4000L	台班	0.006	0.006
	履带式单斗挖掘机（液压）$1m^3$	台班	0.025	0.032

工作内容：铲土，装土，清理就机下余土。　　　　单位：10m³

定额编号			1-3-45	1-3-47
项目			装载机装车	挖掘机装车
			土方	
名称		单位	数量	
人工	综合工日	工日	0.06	0.06
机械	履带式推土机 75kW	台班	0.002	0.002
	履带式单斗挖掘机（液压）0.6m³	台班	—	0.020
	轮胎式装载机 1.5m³	台班	0.021	—

工作内容：（1）运土，卸土，平整，维护行驶道路。　　　　单位：10m³

定额编号			1-3-57	1-3-58
项目			自卸汽车运输 土方	
			运距 1km 以内	每增运 1km
名称		单位	数量	
人工	综合工日	工日	0.03	—
材料	水	m³	0.1200	—
机械	自卸汽车 8t	台班	0.101	0.010
	洒水车 4000L	台班	0.006	—

四、其他

工作内容：（1）场地平整：就地挖、填、平整。

（2）竣工清理：建筑垃圾的清理、场内运输和集中堆放。

（3）基底钎探：打钎、拔钎。　　　　单位：分示

定额编号			1-4-1	1-4-2	1-4-3	1-4-4
项目			场地平整		竣工清理	基底钎探
			人工	机械		
			10m²		10m³	10 眼
名称		单位	数量			
人工	综合工日	工日	0.63	0.01	0.16	1.14
机械	履带式推土机 75kW	台班	—	0.006	—	—

工作内容：就地取土，分层填土，洒水，打夯，平整。　　　　单位：10m³

定额编号			1-4-9	1-4-10	1-4-11	1-4-12	1-4-13
项目			松填土	夯填土			
				地坪		沟槽、地坑	
				人工	机械	人工	机械
名称		单位	数量				
人工	综合工日	工日	0.79	1.60	0.53	2.00	0.70
材料	水	m³	—	0.1550	—	0.1550	—
机械	电动夯实机 20～62N·m	台班	—	—	0.614	—	0.798

工作内容：钎孔灌水、灌砂、堵眼等。　　单位：10眼

定额编号			1-4-17
项　目			钎探灌砂
名　称		单位	数　量
人工	综合工日	工日	0.022
材料	黄砂（粗砂）	m^3	0.008
	钢钎 22～25	kg	0.046
	水	m^3	0.032

第二章　地基处理与防护工程

一、垫层

工作内容：拌和、铺设、找平、夯实、调制砂浆、灌浆。　　单位：$10m^3$

定额编号			2-1-1	2-1-2	2-1-5	2-1-6
项　目			3∶7灰土	砂	碎石	
					干铺	灌浆
名　称		单位	数　量			
人工	综合工日	工日	8.37	4.66	6.72	8.15
材料	灰土 3∶7	m^3	10.1000	—	—	—
	黄砂（过筛中砂）	m^3	—	11.5260	—	—
	黄砂（粗砂）	m^3	—	—	2.9000	2.9000
	碎砖	m^3	—	—	—	—
	碎石	m^3	—	—	11.1240	11.1240
	水	m^3	—	3.00000	—	1.0000
	水泥砂浆 1∶3	m^3	—	—	—	2.8400
机械	电动夯实机 20～62N·m	台班	0.440	—	0.260	0.260
	混凝土振捣器（平板式）	台班	—	0.160	—	—
	灰浆搅拌机 200L	台班	—	—	—	0.470

工作内容：调制混凝土、铺设、捣固、找平、养护。　　单位：$10m^3$

定额编号			2-1-13	2-1-14
项　目			无筋混凝土	毛石混凝土
名　称		单位	数　量	
人工	综合工日	工日	10.21	9.68
材料	现浇混凝土 C15，石子＜40mm	m^3	10.1000	8.6300
	毛石	m^3	—	2.7200
	水	m^3	5.0000	5.0000
机械	混凝土振动器（平板式）	台班	0.790	0.790

二、填料加固（略）

三、桩基础

工作内容：准备打桩机具、移动打桩机及其轨道、吊装定位、按卸桩帽校正、打桩。

单位：10m³

定额编号			2-3-2	2-3-3	2-3-4
项　目			打预制钢筋混凝土方柱桩（桩长）		
			18m 以内	30m 以内	30m 以外
名　称		单位	数　量		
人工	综合工日	工日	5.34	3.19	2.73
材料	钢筋混凝土方柱桩	m³	(10.1000)	(10.1000)	(10.1000)
	麻袋	条	2.5000	2.5000	2.5000
	草袋	条	4.5000	4.5000	4.5000
	二等板方材	m³	0.0200	0.0200	0.0200
机械	履带式起重机 15t	台班	0.594	0.355	0.304
	履带式柴油打桩机 5t	台班	0.594	—	—
	履带式柴油打桩机 7t	台班	—	0.355	0.304

工作内容：准备打桩机具、移动打桩机及其轨道、吊装定位、安卸桩帽校正、打桩。

单位：10m³

定额编号			2-3-9	2-3-10
项　目			打预制钢筋混凝土管桩（桩长）	
			16m 以内	24m 以内
名　称		单位	数　量	
人工	综合工日	工日	10.15	8.66
材料	钢筋混凝土管桩	m³	10.1000	10.1000
	麻袋	条	3.0000	3.0000
	草袋	条	7.9000	7.9000
	二等板方材	m³	0.0400	0.0400
机械	履带式柴油打桩机 3.5t	台班	1.010	0.863
	履带式起重机 15t	台班	1.010	0.863

工作内容：准备机具，移动桩机，钻孔，安放钢筋笼，灌注混凝土、清理钻孔余土，养护混凝土。

单位：10m³

定额编号			2-3-22	2-3-23	2-3-24	2-3-25
项　目			螺旋钻机钻孔灌注混凝土桩（桩长）			
			12m 以内		12m 以外	
			钻孔	灌注混凝土	钻孔	灌注混凝土
名　称		单位	数　量			
人工	综合工日	工日	9.98	4.46	8.53	3.01
材料	现浇混凝土 C20，石子<31.5mm	m³	—	12.1800	—	12.1800
	其他材料费占材料费	%	—	6.900	—	6.900
机械	履带式钻孔机 400～700mm	台班	0.185	—	0.163	—
	机动翻斗车 1t	台班	—	0.185	—	0.163
	混凝土振捣器（插入式）	台班	—	0.185	—	0.163

工作内容：(1) 接桩：准备接桩工具，对接桩、铜铁、钢板焊制、焊接、安放、拆卸夹箍（灌注胶泥）等。

(2) 截桩：定位、切割、桩头运至50m内堆放。　　单位：分示

定额编号			2-3-62	2-3-63	2-3-64	2-3-65
项目			预制钢筋混凝土桩接桩		预制钢筋混凝土桩截桩	
			包钢板	硫磺胶泥	方桩	管桩
			10根	$10m^3$	10根	
名称		单位	数量			
人工	综合工日	工日	19.16	96.40	4.68	3.80
材料	电焊条E4303 ϕ3.2	kg	53.2000	—	—	—
	硫磺胶泥 6∶4∶0.15	m^3	—	0.5400	—	—
	垫铁	kg	1.0500	—	—	—
	钢板	kg	599.0000	—	—	—
	方木	m^3	—	0.0200	—	—
	石料切割锯片	片	—	—	10.0000	—
机械	履带式柴油打桩机3.5t	台班	1.370	7.000	—	—
	交流电焊机40kVA	台班	5.460	—	—	—
	履带式起重机15t	台班	1.370	7.000	—	—
	石料切割机	台班	—	—	2.120	—
	管桩切割机GQJ40-60型	台班	—	—	—	1.430

工作内容：桩头混凝土凿除，梳理整形钢筋。　　单位：分示

定额编号			2-3-66	2-3-67	2-3-68
项目			凿桩头		桩头钢筋整理
			预制钢筋混凝土方桩	灌注混凝土桩	
			$10m^3$桩头体积		10根（桩）
名称		单位	数量		
人工	综合工日	工日	35.54	14.15	0.86
机械	电动空气压缩机 $1m^3/min$	台班	5.790	2.310	—

四、强夯

工作内容：机具准备、按设计要求布置锤位线，夯击、夯锤位移、施工道路平整、资料记载。

单位：$100m^2$

定额编号			2-4-31	2-4-32	2-4-33
项目			夯机能300t·m以内		
			10夯点以内		低锤满拍
			4击	每增减1击	
名称		单位	数量		
人工	综合工日	工日	3.42	0.66	5.85
机械	强夯机械3000kN·m	台班	0.489	0.094	1.520
	履带式推土机75kW	台班	0.342	0.066	1.064

工作内容：机具准备、按设计要求布置锤位线，夯击、夯锤位移、施工道路平整、资料记载。

单位：$100m^2$

定额编号			2-4-42	2-4-43	2-4-44
项目			夯击能 400t·m 以内		
			10夯点以内		低锤满拍
			4击	每增减1击	
名称		单位	数量		
人工	综合工日	工日	6.53	1.40	9.99
机械	强夯机械 4000kN·m	台班	0.932	0.200	1.520
	履带式推土机 75kW	台班	0.653	0.140	1.064

五、防护

工作内容：制作、运输、安装及拆除。

单位：$10m^2$

定额编号			2-5-1	2-5-2	2-5-3	2-5-4
项目			木挡土板			
			疏板		密板	
			木撑	钢撑	木撑	钢撑
名称		单位	数量			
人工	综合工日	工日	1.66	1.27	2.14	1.63
材料	圆木	m^3	0.0226	—	0.0226	—
	方撑木	m^3	0.0051	0.0049	0.0065	0.0060
	木挡土板（三等级材）	m^3	0.0240	0.0257	0.0395	0.0395
	钢套管	kg	—	1.5610	—	1.5610
	支撑钢管及扣件	kg	—	1.9000	—	2.0000
	机制红砖 240mm×115mm×53mm	千块	0.0188	0.0188	—	—

六、排水与降水

工作内容：安装拆除：井点装配成型，地面试管铺总管，装水泵、水箱，冲水沉管，连接试抽，拆管，抽水，清洗整理，堆放。

设备使用：抽水、值班、井管堵漏。

单位：分示

定额编号			2-6-12	2-6-13
项目			轻型井点（深7m）降水	
			井管安装、拆除	设备使用
			10根	每套每天
名称		单位	数量	
人工	综合工日	工日	15.66	3.00
材料	白麻绳	m	8.2600	—
	黄砂（过筛中砂）	m^3	1.1000	—
	轻型井点井管 7m	根	0.0300	0.1800
	轻型井点总管 $\phi108$	m	0.0100	0.0600
	水	m^3	53.3600	—
	其他材料费占材料费	%	3.2000	15.0000
机械	单级射流泵	台班	—	6.000
	多级离心泵 150mm×180m㊀	台班	0.570	—
	履带式起重机 5t	台班	1.050	—
	污水泵 100mm	台班	0.570	—

㊀ 多级离心泵 150mm×180m 表示吸入口径 150mm，排出口径 150mm，扬程 180m。

第三章　砌筑工程

一、砌普通黏土砖

工作内容：(1) 调运砂浆，运砖，清理基槽坑，砌砖等。

(2) 砖柱安放木砖、铁件等。

单位：10m³

定额编号			3-1-1	3-1-2	3-1-3
项目			砖基础	矩形砖柱（周长）	
				1.2m以内	1.8m以内
名称		单位	数量		
人工	综合工日	工日	12.18	26.56	24.79
材料	水泥砂浆，M5	m³	2.3600	—	—
	混合砂浆，M5	m³	—	1.9600	2.1800
	机制红砖 240mm×115mm×53mm	千块	5.1907	5.6800	5.5200
	水	m³	1.0500	1.1400	1.1000
机械	灰浆搅拌机 200L	台班	0.295	0.245	0.273

工作内容：(1) 调运砂浆，铺砂浆，运砖。

(2) 砌砖包括窗台虎头砖、腰线、门窗套；安放木砖、铁件等。

单位：10m³

定额编号			3-1-13	3-1-14
项目			混水砖墙（墙厚mm）	
			180	240
名称		单位	数量	
人工	综合工日	工日	18.79	15.38
材料	混合砂浆，M2.5	m³	2.1300	2.2500
	混合砂浆，M5	m³	(2.1300)	(2.2500)
	机制红砖 240mm×115mm×53mm	千块	5.5100	5.3140
	水	m³	1.1000	1.0600
机械	灰浆搅拌机 200L	台班	0.266	0.281

二、砌石

工作内容：调运砂浆、铺砂浆，运石，砌筑石料，墙角洞口处石料加工等。

单位：10m³

定额编号			3-2-1	3-2-2	3-2-3
项目			乱毛石		
			基础	墙	挡土墙
名称		单位	数量		
人工	综合工日	工日	11.81	19.02	13.14
材料	水泥砂浆，M5	m³	3.9289	—	—
	混合砂浆，M5	m³	—	3.9300	3.9300
	毛石	m³	9.7434	11.2200	11.2200
	水	m³	0.7900	0.7900	0.7900
机械	灰浆搅拌机 200L	台班	0.491	0.491	0.491

三、砌轻质砖和砌块

工作内容：(1) 调运砂浆、铺砂浆，运砖、砌块。

(2) 砌砖包括窗台虎头砖、腰线、门窗套、安放木砖、铁件等。　　单位：$10m^3$

定额编号			3-3-7	3-3-8
项目			黏土多孔砖墙（墙厚 mm）	
			240	365
名称		单位	数量	
人工	综合工日	工日	11.87	10.70
材料	混合砂浆，M5	m^3	1.8900	2.0160
	机制红砖 240mm×115mm×53mm	千块	0.3400	0.3353
	黏土多孔砖 240mm×115mm×90mm	千块	3.2314	3.3863
	水	m^3	1.1200	1.0700
机械	灰浆搅拌机 200L	台班	0.236	0.252

工作内容：调运砂浆、铺砂浆，运、淋砌块，砌砌块包括窗台虎头砖、腰线、门窗套、留洞、安放木砖铁件等。　　单位：$10m^3$

定额编号			3-3-24	3-3-25	3-3-26
项目			加气混凝土砌块墙（墙厚 mm）		
			120	180	240
名称		单位	数量		
人工	综合工日	工日	11.23	10.34	9.03
材料	混合砂浆，M5	m^3	0.6527	0.6528	0.6527
	加气混凝土块 585mm×120mm×240mm	千块	0.5830	—	—
	加气混凝土块 585mm×180mm×240mm	千块	—	0.3700	—
	加气混凝土块 585mm×240mm×240mm	千块	—	—	0.2920
	水	m^3	1.4667	1.0944	0.8750
机械	灰浆搅拌机 200L	台班	0.082	0.082	0.082

第四章　钢筋及混凝土工程

一、钢筋

工作内容：钢筋制作、绑扎、安装。　　单位：t

定额编号			4-1-1	4-1-2	4-1-3	4-1-4
项目			现浇构件圆钢筋			
			ϕ4	ϕ6.5	ϕ8	ϕ10
名称		单位	数量			
人工	综合工日	工日	19.38	22.10	14.32	10.50
材料	镀锌低碳钢丝 22#	kg	9.5900	15.6700	8.8000	5.600
	冷拔钢丝 ϕ4	t	1.0200	—	—	—
	钢筋 ϕ6.5	t	—	1.0200	—	—
	钢筋 ϕ8	t	—	—	1.0200	—
	钢筋 ϕ10	t	—	—	—	1.0200
机械	单筒慢速电动卷扬机 50kN	台班	—	0.306	0.265	0.248
	钢筋切断机 40mm	台班	1.020	0.099	0.099	0.083
	钢筋弯曲机 40mm	台班	—	—	0.298	0.256

工作内容：钢筋制作、绑扎、安装。　　　　单位：t

定额编号			4-1-5	4-1-6	4-1-7	4-1-8
项　目			现浇构件圆钢筋			
			$\phi12$	$\phi14$	$\phi16$	$\phi18$
名　称		单位	数　量			
人工	综合工日	工日	9.26	7.90	6.98	6.15
材料	电焊条 E4303$\phi3.2$	kg	7.2000	7.2000	7.2000	9.6000
	镀金低碳钢丝 22#	t	4.6200	3.3900	2.6000	2.0500
	钢筋 $\phi12$	t	1.0200	—	—	—
	钢筋 $\phi14$	t	—	1.0200	—	—
	钢筋 $\phi16$	t	—	—	1.0200	—
	钢筋 $\phi18$	t				1.0200
	水	m^3	0.1500	0.1500	0.15000	0.1200
机械	单筒慢速电动卷扬机 50kN	台班	0.232	0.165	0.139	0.132
	对焊机 75kVA	台班	0.086	0.086	0.086	0.067
	钢筋切断机 40mm	台班	0.075	0.074	0.083	0.074
	钢筋弯曲机 40mm	台班	0.215	0.174	0.190	0.165
	交流电焊机 30kVA	台班	0.363	0.363	0.363	0.341

工作内容：钢筋制作、绑扎、安装。　　　　单位：t

定额编号			4-1-17	4-1-18	4-1-19	4-1-20
项　目			现浇构件螺纹钢筋			
			$\phi20$	$\phi22$	$\phi25$	$\phi28$
名　称		单位	数　量			
人工	综合工日	工日	5.50	4.99	4.43	4.24
材料	电焊条 E4303 $\phi3.2$	kg	9.6000	9.6000	12.0000	12.000
	镀锌低碳钢丝 22#	kg	2.0500	1.6700	1.0700	0.8700
	螺纹钢筋 $\phi20$	t	1.0200	—	—	—
	螺纹钢筋 $\phi22$	t	—	1.0200	—	—
	螺纹钢筋 $\phi25$	t	—	—	1.0200	—
	螺纹钢筋 $\phi28$	t	—	—	—	0.0200
	水	m^3	0.1200	0.0800	0.0800	0.1200
机械	单筒慢速电动卷扬机 50kN	台班	0.137	0.118		
	对焊机 75kVA	台班	0.079	0.068	0.068	0.079
	钢筋切断机 40mm	台班	0.073	0.073	0.118	0.118
	钢筋弯曲机 40mm	台班	0.141	0.165	0.149	0.149
	交流电焊机 30kVA	台班	0.402	0.376	0.376	0.415

工作内容：制作、绑扎、安装。　　　　单位：t

定额编号			4-1-52	4-1-53	4-1-54	4-1-55
项　目			现浇构件箍筋			
			ϕ6.5	ϕ8	ϕ10	ϕ12
名　称		单位	数　量			
人工	综合工日	工日	27.97	17.96	12.43	9.81
材料	镀锌低碳钢丝 22#	kg	15.6700	8.8000	5.6400	4.6200
	钢筋 ϕ6.5	t	1.0200	—	—	—
	钢筋 ϕ8	t	—	1.0200	—	—
	钢筋 ϕ10	t	—	—	1.0200	—
	钢筋 ϕ12	t	—	—	—	1.0200
机械	单筒慢速电动卷扬机 50kN	台班	0.306	0.265	0.248	0.232
	钢筋切断机 40mm	台班	0.157	0.149	0.099	0.074
	钢筋弯曲机 40mm	台班	—	1.017	0.703	0.538

工作内容：安装埋设、焊接固定。　　　　单位：t

定额编号			4-1-97	4-1-98	4-1-99
项　目			砌体加固筋焊接		
			ϕ5 以内	ϕ6.5 以内	ϕ8 以内
名　称		单位	数　量		
人工	综合工日	工日	19.89	15.28	13.24
材料	电焊条 E4303ϕ3.2	kg	36.0000	21.8100	14.4100
	冷拔低碳钢丝 ϕ5 以下	t	1.0200	—	—
	钢筋 ϕ6.5	t	—	1.0200	—
	钢筋 ϕ8	t	—	—	1.0200
机械	单筒慢速电动卷扬机 50kN	台班	—	0.306	0.265
	钢筋调直机 40mm	台班	0.698	—	—
	钢筋切断机 40mm	台班	0.421	0.099	0.099
	钢筋弯曲机 40mm	台班	—	—	0.298
	交流电焊机 30kVA	台班	4.410	2.820	2.260

二、现浇混凝土

工作内容：混凝土运输、搅拌、养护。　　　　单位：$10m^3$

定额编号			4-2-3	4-2-4	4-2-5
项　目			带型基础		
			无梁式		有梁式
			毛石混凝土	混凝土	
名　称		单位	数　量		
人工	综合工日	工日	6.40	6.72	7.07
材料	现浇混凝土 C25，石子＜40mm	m^3	(8.630)	(10.150)	(10.150)
	现浇混凝土 C20，石子＜40mm	m^3	8.630	10.150	10.150
	毛石	m^3	2.720	—	—
	草袋	m^2	2.390	2.400	2.520
	水	m^3	0.990	0.880	0.880
机械	混凝土振捣器（插入式）	台班	0.490	0.520	0.570

工作内容：混凝土运输、浇捣、养护。　　单位：10m³

定额编号			4-2-6	4-2-7
项目			独立基础	
			毛石混凝土	混凝土
名称		单位	数量	
人工	综合工日	工日	6.52	8.09
材料	现浇混凝土 C25，石子＜40mm	m³	(8.6300)	(10.1500)
	现浇混凝土 C20，石子＜40mm	m³	8.6300	10.1500
	毛石	m³	2.7200	—
	草袋	m²	3.1700	3.2600
	水	m³	1.0900	1.1300
机械	混凝土振捣器（插入式）	台班	0.490	0.570

工作内容：混凝土运输、浇捣、养护。　　单位：10m³

定额编号			4-2-17	4-2-18	4-2-19
项目			柱		
名称		单位	矩形	圆形	异形
人工	综合工日	工日	19.16	18.14	23.13
材料	现浇混凝土 C30，石子＜40mm	m³	(10.0000)	(10.0000)	(10.0000)
	现浇混凝土 C25，石子＜40mm	m³	10.0000	10.0000	10.0000
	水泥砂浆 1∶2	m³	0.1500	0.1500	0.1500
	草袋	m²	1.0000	0.8600	0.8400
	水	m³	0.9100	0.6600	0.8200
机械	灰浆搅拌器 200L	台班	0.040	0.040	0.040
	混凝土振捣器（插入式）	台班	0.670	0.670	9.670

工作内容：挖土，装土，修整底边。　　单位：10m³

定额编号			4-2-20	4-2-21	4-2-22
项目			构造柱	升板柱帽	轻体墙填充混凝土
名称		单位	数量		
人工	综合工日	工日	21.69	28.41	20.58
材料	现浇混凝土 C30，石子＜31.5mm	m³	(10.0000)	(10.0000)	(10.2000)
	现浇混凝土 C25，石子＜31.5mm	m³	10.0000	10.000	10.2000
	水泥砂浆 1∶2	m³	0.1500	0.15000	—
	草袋	m²	1.0300	—	—
	水	m³	0.6900	0.3500	1.2500
机械	灰浆搅拌机 200L	台班	0.040	0.040	—
	混凝土振捣器（插入式）	台班	0.670	2.000	1.340

工作内容：混凝土运输、浇捣、养护。 单位：$10m^3$

定额编号			4-2-25	4-2-26	4-2-27
项目			异形梁	圈梁	过梁
名称		单位	数量		
人工	综合工日	工日	13.74	21.61	23.61
材料	现浇混凝土 C30，石子＜31.5mm	m^3	(10.1500)	(10.1500)	(10.1500)
	现浇混凝土 C25，石子＜31.5mm	m^3	10.1500	10.1500	10.1500
	草袋	m^2	7.2300	8.02600	18.5700
	水	m^3	1.1400	1.6700	4.9700
机械	混凝土振捣器（插入式）	台班	0.670	0.670	0.670

工作内容：混凝土运输、浇捣、养护。 单位：$10m^3$

定额编号			4-2-36	4-2-37	4-2-38
项目			有梁板	无梁板	平板
名称		单位	数量		
人工	综合工日	工日	10.68	9.72	11.02
材料	现浇混凝土 C30，石子＜20mm	m^3	(10.1500)	(10.1500)	(10.1500)
	现浇混凝土 C25，石子＜20mm	m^3	10.1500	10.1500	10.1500
	草袋	m^2	10.9900	10.5100	14.2200
	水	m^3	3.4200	3.4700	4.7200
机械	混凝土振捣器（插入式）	台班	0.350	0.350	0.350
	混凝土振捣器（平板式）	台班	0.350	0.350	0.350

工作内容：混凝土运输、浇捣、养护。 单位：$10m^3$

定额编号			4-2-56	4-2-57	4-2-58
项目			挑檐、天沟	台阶	压顶
名称		单位	数量		
人工	综合工日	工日	22.79	15.24	23.99
材料	现浇混凝土 C25，石子＜20mm	m^3	(10.1500)	(10.1500)	(10.1500)
	现浇混凝土 C20，石子＜20mm	m^3	10.1500	10.1500	10.1500
	草袋	m^2	17.0400	16.7700	38.3400
	水	m^3	6.0300	5.5300	12.3400
机械	混凝土振捣器（插入式）	台班	2.000	2.000	—

三、预制混凝土

工作内容：混凝土运输、浇捣、养护。　　单位：$10m^3$

定额编号			4-3-1
项　目			方桩、板桩
名　称		单位	数　量
人工	综合工日	工日	7.98
材料	预制混凝土C30，石子＜40mm	m^3	(10.1500)
	预制混凝土C25，石子＜40mm	m^3	10.1500
	草袋	m^2	2.7600
	水	m^3	2.0000
机械	混凝土振捣器（插入式）	台班	0.670
	机动翻斗车1t	台班	0.630

工作内容：混凝土运输、浇捣、养护。　　单位：$10m^3$

定额编号			4-3-2	4-3-3
项　目			矩形柱	异形柱
名　称		单位	数　量	
人工	综合工日	工日	8.13	8.02
材料	预制混凝土C30，石子＜40mm	m^3	(10.1500)	(10.1500)
	预制混凝土C25，石子＜40mm	m^3	10.1500	10.1500
	草袋	m^2	3.8500	2.7500
	水	m^3	2.0800	1.5600
机械	混凝土振捣器（插入式）	台班	0.670	0.670
	机动翻斗车1t	台班	0.630	0.630

四、混凝土搅拌制作及泵送

工作内容：筛洗石子、沙、石、水泥后台上料、混凝土搅拌。　　单位：$10m^3$

定额编号			4-4-15	4-4-16	4-4-17
项　目			现场搅拌混凝土		
			搅拌机		
			基础	墙、柱、梁、板	其他
名　称		单位	数　量		
人工	综合工日	工日	2.29	2.29	2.29
材料	水	m^3	8.1800	8.1800	8.1800
机械	混凝土搅拌机400L	台班	0.390	0.630	1.000

第五章　门窗及木结构工程

一、木门

工作内容：制作、安装木门框，刷防腐油，填塞麻刀石灰砂浆。　　单位：10m²

定额编号			5-1-9	5-1-10	5-1-11	5-1-12
项目			无纱镶板门、纤维板门、胶合板门门框			
			单扇带亮		双扇带亮	
			制作	安装	制作	安装
名称		单位	数量			
人工	综合工日	工日	0.86	1.47	0.61	1.05
材料	石灰麻刀砂浆 1∶3	m^3	—	0.0242	—	0.0165
	门窗材	m^3	0.1800	0.0267	0.1310	0.0174
	白乳胶	kg	0.0600	—	0.0600	—
	清油	kg	0.0460	—	0.0460	—
	油漆溶剂油	kg	0.0270	—	0.0270	—
	防腐油	kg	—	2.1648	—	2.0135
	元钉	kg	0.1029	1.2321	0.0652	0.8126
机械	木工裁口机多面 400mm	台班	0.024	—	0.017	—
	木工打眼机 50mm	台班	0.006	—	0.036	—
	木工榫机 160mm	台班	0.028	—	0.017	—
	木工平刨床 450mm	台班	0.054	—	0.038	—
	木工压刨床三面 400mm	台班	0.046	—	0.032	—
	木工圆锯机 500mm	台班	0.017	0.006	0.010	0.004

工作内容：制作、安装木门框，刷防腐油，填塞麻刀石灰砂浆。　　单位：10m²

定额编号			5-1-29	5-1-30
项目			带纱门连窗框	
			制作	安装
名称		单位	数量	
人工	综合工日	工日	1.68	0.84
材料	石灰麻刀砂浆 1∶3	m^3	—	0.0210
	门窗材	m^3	0.2132	0.0100
	白乳胶	kg	0.0600	
	防腐油	kg	—	1.4540
	清油	kg	0.0460	—
	油漆溶剂油	kg	0.0270	—
	元钉	kg	0.0414	0.4986
机械	木工裁口机多面 400mm	台班	0.021	—
	木工打眼机 50mm	台班	0.084	—
	木工榫机 160mm	台班	0.039	—
	木工平刨床 450mm	台班	0.048	—
	木工压刨床三面 400mm	台班	0.048	—
	木工圆锯机 500mm	台班	0.013	0.005

工作内容：制作安装门窗、亮子、装配亮子玻璃及小五金。　　单位：10m²

定额编号			5-1-33	5-1-34
项目			无纱镶木板门	
			单扇带亮	
			门扇制作	门扇安装
名称		单位	数量	
人工	综合工日	工日	2.46	1.53
材料	白乳胶	kg	0.6540	—
	门窗材	m^3	0.2530	—
	木薄板（一类）12mm	m^3	0.0794	—
	平板玻璃 3mm	m^2	—	1.4689
	元钉	kg	—	0.0060
	油灰（桶装）	kg	—	0.8602
	清油	kg	0.1290	—
	油漆溶剂油	kg	0.0740	—
机械	木工裁口机多面 400mm	台班	0.054	—
	木工打眼机 50mm	台班	0.101	—
	木工榫机 160mm	台班	0.101	—
	木工平刨床 450mm	台班	0.139	—
	木工压刨床三面 400mm	台班	0.139	—
	木工圆锯机 500mm	台班	0.066	—

工作内容：制作安装门窗、亮子、装配亮子玻璃及小五金。　　单位：10m²

定额编号			5-1-43	5-1-44
项目			无纱玻璃镶木板门	
			双扇带亮	
			门扇制作	门扇安装
名称		单位	数量	
人工	综合工日	工日	2.16	1.48
材料	白乳胶	kg	0.6540	—
	门窗材	m^3	0.2801	—
	木薄板（一类）12mm	m^3	0.0510	—
	平板玻璃 3mm	m^2	—	3.2744
	元钉	kg	—	0.0135
	油灰（桶装）	kg	—	1.9174
	清油	kg	0.1290	—
	油漆溶剂油	kg	0.0740	—
机械	木工裁口机多面 400mm	台班	0.041	—
	木工打眼机 50mm	台班	0.094	—
	木工开榫机 160mm	台班	0.094	—
	木工平刨床 450mm	台班	0.106	—
	木工压刨床三面 400mm	台班	0.106	—
	木工圆锯机 500mm	台班	0.050	—

工作内容：制作安装门窗、亮子、装配亮子玻璃及小五金。 单位：$10m^2$

定额编号			5-1-99	5-1-100	5-1-103	5-1-104	5-1-105	5-1-106
项目			门连窗（双扇窗）		纱门窗		纱亮窗	
			制作	安装	制作	安装	制作	安装
名称		单位	数量					
人工	综合工日	工日	1.63	1.90	2.05	2.15	2.01	3.73
材料	白乳胶	kg	0.6540	—	0.281	—	0.2870	—
	门窗材	m^3	0.2295	—	0.1694	—	0.1957	—
	木薄板（一类）12mm	m^3	0.0183	—	—	—	—	—
	元钉	kg	—	0.0254	—	0.1645	—	0.1652
	平板玻璃 3mm	m^2	—	6.1253	—	—	—	—
	油灰（桶装）	kg	—	3.5867	—	—	—	—
	清油	kg	0.1290	—	0.0460	—	0.0910	—
	油漆溶剂油	kg	0.0740	—	0.0270	—	0.0360	—
	塑料纱	m^2	—	—	—	9.6499	—	0.1652
机械	木工裁口机多面 400mm	台班	0.040	—	0.035	—	0.055	—
	木工打眼机 50mm	台班	0.100	—	0.097	—	0.086	—
	木工开榫机 160mm	台班	0.081	—	0.097	—	0.086	—
	木工平刨床 450mm	台班	0.103	—	0.079	—	0.136	—
	木工压刨床三面 400mm	台班	0.103	—	0.079	—	0.136	—
	木工圆锯机 500mm	台班	0.040	—	0.022	—	0.045	—

工作内容：（1）安装门扇，装配小五金。

（2）镶板、胶合板门装小百叶。

（3）安装普通门锁。 单位：分示

定额编号			5-1-107	5-1-110
项目			普通成品门扇安装	普通门锁安装
			$10m^2$扇面积	10把
名称		单位	数量	
人工	综合工日	工日	1.11	0.79
材料	成品门扇	m^2	10.0000	—
	执手锁	把	—	10.0000

二、厂库房大门、特种门（略）

三、木窗

工作内容：制作安装窗框、窗扇、刷防腐油、填塞麻刀石灰浆、装配玻璃及五金零件。

单位：$10m^2$

定额编号			5-3-45	5-3-46	5-3-47	5-3-48
项目			双裁口单层玻璃窗			
			四扇带亮			
			窗框		窗扇	
			制作	安装	制作	安装
名称		单位	数量			
人工	综合工日	工日	1.50	1.04	1.49	2.66
材料	石灰麻刀砂浆 1∶3	m^3	—	0.0267	—	—
	防腐油	kg	—	1.5703	—	—

（续）

定额编号			5-3-45	5-3-46	5-3-47	5-3-48
项目			双裁口单层玻璃窗			
			四扇带亮			
			窗框		窗扇	
			制作	安装	制作	安装
名称		单位	数量			
人工	综合工日	工日	1.50	1.04	1.49	2.66
材料	门窗材	m^3	0.2189	0.0080	0.2330	—
	白乳胶	kg	0.2200	—	0.3640	—
	平板玻璃 3mm	m^2	—	—	—	7.8621
	油灰（桶装）	kg	—	—	—	8.8238
	元钉	kg	0.0438	0.4567	—	0.0318
	清油	kg	0.0820	—	0.0910	—
	油漆溶剂油	kg	0.0320	—	0.0360	—
机械	木工裁口机多面 400mm	台班	0.029	—	0.040	—
	木工打眼机 50mm	台班	0.106	—	0.127	—
	木工开榫机 160mm	台班	0.051	—	0.077	—
	木工平刨床 450mm	台班	0.057	—	0.106	—
	木工压刨床三面 400mm	台班	0.057	—	0.106	—
	木工圆锯机 500mm	台班	0.013	0.004	0.040	—

工作内容：(1) 制作、安装纱窗、安塑料纱及小五金。

(2) 制作、安装窗框，刷防腐油、填塞麻刀石灰浆、装玻璃及小五金。　单位：分示

定额编号			5-3-71	5-3-72
项目			纱窗扇	
			制作	安装
			$10m^2$扇面积	
名称		单位	数量	
人工	综合工日	工日	1.38	1.96
材料	门窗材	m^3	0.1447	—
	白乳胶	kg	0.2860	—
	塑料纱	m^2	—	10.0350
	元钉	kg	—	0.1678
	清油	kg	0.0320	—
	油漆溶剂油	kg	0.0130	—
机械	木工裁口机多面 400mm	台班	0.043	—
	木工打眼机 50mm	台班	0.125	—
	木工开榫机 160mm	台班	0.076	—
	木工平刨床 450mm	台班	0.086	—
	木工压刨床三面 400mm	台班	0.086	—

四、钢门窗（略）

五、铝合金门窗

工作内容：现场搬运、安装框扇、校正、安装玻璃及配件、周边塞口、清理等。　　单位：分示

定额编号			5-5-7	5-5-8
项目			铝合金防盗网	铝合金纱扇
			10m²扇面积	
名称		单位	数量	
人工	综合工日	工日	3.70	1.17
材料	地脚	个	46.7000	—
	膨胀螺栓 M8	套	46.7000	—
	铝合金防盗网	m²	10.0000	—
	铝合金纱扇 70 系列白色	m²	—	10.0000
	其他材料费占材料费	%	0.1300	—
机械	安装综合机械占材料费	%	0.010	

工作内容：(1) 制作：型材矫正、放样下料、切割断料、钻孔组装、制作搬运。

(2) 安装：现场搬运、安装、校正框扇、裁安玻璃、五金配件、周边塞口清理等。

单位：10m²

定额编号			5-5-22	5-5-23	5-5-28	5-5-29
项目			单扇平开门		双扇推拉窗	
			无上亮	带上亮	不带亮	带亮
名称		单位	数量			
人工	综合工日	工日	9.83	9.94	9.81	9.71
材料	玻璃胶 310g	支	5.5980	7.6310	5.0670	5.5100
	地脚	个	63.0000	116.0000	71.0000	57.0000
	胶纸	m²	9.2000	9.2000	11.8000	11.8000
	铝合金型材 70 系列	kg	80.5169	79.3432	—	—
	铝合金型材 90 系列	kg	—	—	75.4656	72.8720
	螺钉	百个	1.7500	1.8000	1.4380	1.0150
	密封毛条	m	62.0330	48.6800	60.5830	41.0860
	密封油膏	kg	5.3400	5.1620	4.7460	4.5200
	膨胀螺栓 M8	套	126.0000	232.0000	142.0000	114.0000
	平板玻璃 5mm	m²	—	—	8.9900	9.3150
	平板玻璃 6mm	kg	9.4880	9.8480	—	—
	软填料	kg	2.4950	2.4120	5.2530	4.5030
	其他材料费占材料费	%	0.1100	0.1100	0.2000	0.2000
机械	综合机械（铝合金）	台班	0.160	0.160	0.162	0.162

工作内容：(1) 制作：型材矫正、放样下料、切割断料、钻孔组装、制作搬运。

(2) 安装：现场搬运、安装、校正框扇、裁安玻璃、五金配件、周边塞口清理等。

单位：$10m^2$

定额编号			5-5-30	5-5-31	5-5-35	5-5-36
项目			三扇推拉窗		铝合金纱窗制作、安装	
			不带亮	带亮	纱门扇	纱窗扇
名称		单位	数量			
人工	综合工日	工日	9.98	9.83	4.01	4.01
材料	玻璃胶 310g	支	4.3300	4.8800	—	
	地脚	个	49.0000	38.0000	—	—
	胶纸	m^2	11.8000	11.8000	—	—
	铝合金型材 90 系列	kg	68.3474	67.7596	26.8870	22.3580
	螺钉	百个	0.9780	0.6980	—	—
	密封毛条	m	50.1670	36.5000	41.4000	33.9430
	密封油膏	kg	3.5600	2.8820	—	—
	膨胀螺栓 M8	套	98.0000	76.0000	—	—
	平板玻璃 5mm	m^2	9.1740	9.7040		
	软填料	kg	3.9400	3.1890	—	—
	塑料纱	m^2	—	—	9.3780	9.1390
	空心胶条（铝合金纱窗）	m	—	—	29.0000	34.4000
	其他材料费占材料费	%	0.2000	0.2000	1.3000	—
机械	综合机械（铝合金）	台班	0.165	0.166	—	—

六、塑料门窗安装

工作内容：校正框扇、安装玻璃、装配五金、焊接铁件、周边塞缝等。　　单位：$10m^2$

定额编号			5-6-1	5-6-2	5-6-3
项目			塑料平开门	单层塑料窗	塑料窗带纱扇
名称		单位	数量		
人工	综合工日	工日	2.50	2.50	4.20
材料	地角	个	67.5500	100.0000	100.0000
	螺钉	百个	6.7550	8.9777	8.9777
	密封油膏	kg	5.2510	4.7460	4.7460
	膨胀螺栓 M8	套	67.5500	100.0000	100.0000
	软填料	kg	4.9100	5.2530	5.2530
	塑料窗　带纱扇	m^2	—	—	9.4800
	塑料窗　单层	m^2	—	9.4800	—
	塑料门　不带亮	m^2	9.6200	—	—
机械	安装综合机械占材料费	%	0.010	0.010	0.010

七、彩板门窗安装（略）

八、木结构（略）

九、门窗配件

单位：分示

定额编号			5-9-2	5-9-12	5-9-14	5-9-15
项目			无纱镶板、纤维板、胶合板门	无纱门连窗	纱门	纱亮
			双扇带亮	双扇窗		
			10樘		10扇	
名称		单位	数量			
材料	半圆头螺钉 M4×30	百个	5.4000	0.7000	—	—
	沉头木螺钉 M3.5×22	百个	0.8000	2.0000	0.4000	—
	窗钩 150mm 镀锌	个	20.0000	60.0000	—	—
	弓形拉手 100mm 镀铬	副	20.0000	50.0000	10.0000	—
	立式磁性吸门器	个	20.0000	10.0000	—	—
	木螺钉 M4×20	百个	2.8000	4.4000	0.6000	1.2000
	木螺钉 M4×50	百个	2.4000	6.0000	—	—
	木螺钉 M5×30	百个	3.2000	1.6000	1.2000	1.2000
	普通合页 125mm	副	40.0000	20.0000	—	—
	普通合页 90mm	副	40.0000	100.0000	—	20.0000
	双袖合页 65mm	副	—	—	20.0000	—
	铁插销 100mm 封闭式	个	20.0000	60.0000	10.0000	20.0000
	铁插销 150mm 封闭式	个	20.0000	10.0000	—	—
	铁三角 125mm	百个	0.8000	—	—	—

注：若门窗上安装门锁，则应减去插销 150mm 及木螺钉（M4×20，80 个/10 樘）。 单位：分示

定额编号			5-9-38	5-9-39	5-9-44
项目			无纱单扇玻璃窗、无纱双裁口玻璃窗		纱窗
			三扇带亮	四扇带亮	
			10樘		10扇
名称		单位	数量		
材料	半圆头螺钉 M3.5×22	百个	1.6000	3.2000	0.4000
	窗钩 150mm 镀锌	个	40.0000	80.0000	—
	木螺钉 M4×20	百个	7.2000	9.6000	2.4000
	木螺钉 M5×30	百个	2.4000	4.8000	—
	普通合页 65mm	副	40.0000	80.0000	—
	普通合页 75mm	副	40.0000	80.0000	—
	普通小拉手 100mm	副	40.0000	80.0000	10.0000
	铁插销 100mm 封闭式	个	40.0000	40.0000	10.0000
	铁插销 75mm 封闭式	个	40.0000	40.0000	10.0000
	抽芯型合页 65mm	副	—	—	20.0000

单位：10樘

定额编号			5-9-48	5-9-49	5-9-50	5-9-51
项　目			铝合金门	铝合金推拉窗		
			单扇平开门	双扇	三扇	四扇
名　称		单位	数　量			
材料	滑轮	个	—	40.0000	60.0000	80.0000
	铝合金窗锁	只	—	20.0000	20.0000	40.0000
	铰拉	套	—	10.0000	10.0000	10.0000
	暗铰链	个	20.0000	—	—	—
	螺钉	百个	1.4000	—	—	—
	门锁	把	10.0000	—	—	—

第六章　屋面、防水、保温及防腐工程

一、屋面

工作内容：(1) 铺瓦，并修界瓦边，清理瓦面。

(2) 调制砂浆、安脊瓦、檐口梢头坐灰。

(3) 钢、混凝土檩上铺钉苇箔三层，铺泥挂瓦。

单位：分示

定额编号			6-1-2	6-1-14	6-1-15	6-1-16
项　目			黏土瓦	英红瓦		
			钢、混凝土檩条上铺钉苇箔三层铺泥挂瓦	两坡以内	四坡以内	正斜脊
			$10m^2$		10m	$10m^2$
名　称		单位	数　量			
人工	综合工日	工日	1.90	3.29	2.36	4.25
材料	水泥砂浆 1∶2	m^3	—	0.2525	0.2525	—
	混合砂浆 1∶0.2∶2	m^3	0.0110	—	—	—
	英红脊瓦	块	—	—	—	30.4348
	英红主瓦 420×332	块		109.3750	109.3750	—
	板条 1000×30×8	百根	0.2120	—	—	—
	麦秸	kg	5.8980	—	—	—
	苇箔	m^3	32.1000	—	—	—
	黏土	m^3	0.3130	—	—	—
	黏土脊瓦	块	2.8460	—	—	—
	黏土平瓦	千块	0.1822	—	—	—
	装修元钉	kg	0.4800	—	—	—
	水	m^3	0.1974	0.3200	0.3200	0.2000
机械	灰浆搅拌机 200L	台班	—	0.040	0.040	0.020

二、防水

工作内容：清理基层、调配砂浆、抹水泥砂浆、铺抹砂浆养护。

铺拒水粉及隔离纸、作保护层及保护层分格嵌缝等。　　单位：10m²

定额编号			6-2-5	6-2-9	6-2-10	6-2-11
项　目			防水砂浆 20mm 厚	混凝土保护层 40mm 厚（拒水粉）	防水砂浆	
					平面	立面
名　称		单位	数　量			
人工	综合工日	工日	1.08	3.21	0.92	1.40
材料	水泥砂浆 1∶2	m³	0.2020	—	0.2040	0.2040
	素水泥浆	m³	0.0100	—	—	—
	防水粉	kg	6.6300	—	5.5000	5.5000
	水	m³	—	—	0.3800	0.3800
	细石混凝土 C20	m³	—	0.4040	—	—
	建筑油膏	kg	—	3.9124	—	—
	拒水粉	kg	—	51.0000	—	—
	模板材	m³	—	0.0004	—	—
	木柴	kg	—	1.1737	—	—
	牛皮纸	m²	—	11.2000	—	—
	水	m³	—	0.0600	—	—
机械	灰浆搅拌机 200L	台班	0.035	—	0.034	0.034
	混凝土振捣器（平板式）	台班	—	0.032	—	—

工作内容：配制涂刷冷底子油、熬制沥青，防水薄弱处贴附加层，铺贴沥青油毡卷材。

单位：10m²

定额编号			6-2-14	6-2-15	6-2-16	6-2-17
项　目			沥青油毡			
			二毡三油		每增减一毡一油	
			平面	立面	平面	立面
名　称		单位	数　量			
人工	综合工日	工日	0.79	1.14	0.37	0.51
材料	冷底子油 30∶70	kg	4.8480	4.8480	—	—
	木柴	kg	20.0740	20.4750	5.4600	5.8800
	石油沥青 10#	kg	48.5100	51.9750	15.0150	16.1700
	石油沥青油毡 350#	m²	23.8050	23.8050	11.5637	11.5637

工作内容：清理基层，刷基底处理剂，铺贴卷材及附加层，收头钉压条。　　单位：$10m^2$

定额编号			6-2-30	6-2-31	6-2-44	6-2-45
项　目			SBS改性沥青卷材（满铺）		PVC橡胶卷材	
			一层			
			平面	立面	平面	立面
名　称		单位	数　量			
人工	综合工日	工日	0.40	0.51	0.73	0.94
材料	SBS防水卷材	m^2	12.4170	12.4170	—	—
	钢钉	kg	0.0280	0.0280	—	—
	钢筋 $\phi 8$	t	0.0005	0.0005	—	—
	高强APP基底处理剂	kg	2.5280	2.5280	—	—
	高强APP胶黏剂B型	kg	9.1000	9.1000	—	—
	FL—15胶黏剂	kg	—	—	11.7100	11.7100
	PVC橡胶卷材	m^2	—	—	11.4800	11.4800

工作内容：（1）熬制沥青，配制冷底子油，涂刷沥青。

（2）聚氨酯：涂刷底胶及附加层，刷聚氨酯二道。　　单位：$10m^2$

定额编号			6-2-62	6-2-63	6-2-71	6-1-72	6-1-73
项　目			冷底子油		聚氨酯二遍	石油沥青一遍	
			第一遍	第二遍		平面	砼抹灰面立面
名　称		单位	数　量				
人工	综合工日	工日	0.16	0.13	0.41	0.13	0.17
材料	冷底子油30∶70	kg	4.8480	—	—	4.8480	4.8480
	冷底子油50∶50	kg	—	3.6360	—	—	—
	木柴	kg	1.5750	1.9950	—	8.2950	8.7150
	二甲苯	kg	—	—	1.2600	—	—
	聚氨酯甲乙料	kg	—	—	27.6050	—	—
	石油沥青10#	kg	—	—	—	18.4800	19.6350

三、保温

工作内容：清理基层，铺砌，平整，调制砂浆，摊铺浇捣，找平，养护。　　单位：$10m^3$

定额编号			6-3-5	6-3-15	6-3-16
项　目			憎水珍珠岩块	现浇水泥珍珠岩	现浇水泥蛭石
名　称		单位	数　量		
人工	综合工日	工日	15.20	7.19	7.19
材料	SG—791胶砂浆	m^3	3.9520	—	—
	水泥蛭石1∶10	m^3	—	—	1.4000
	水泥珍珠岩1∶10	m^3	—	10.4000	—
	珍珠岩块500×500×100	m^3	10.5000	—	—
	水	m^3	—	7.0000	7.0000
	其他材料费占材料费	%	0.5000	—	—

工作内容：清理基层，调制砂浆，砌支承砖，铺砌块料，填缝。 单位：10m²

定额编号			6-3-22	6-3-23	6-3-24
项 目			架空隔热层		
			方形砖		预制混凝土板
			带式支撑	点式支撑	
名 称		单位	数 量		
人工	综合工日	工日	1.32	1.32	0.98
材料	水泥砂浆 1∶2	m^3	—	—	0.0117
	水泥砂浆 1∶3	m^3	0.0110	0.0110	—
	混合砂浆，M2.5	m^3	0.1130	0.0630	—
	混合砂浆，M5.0	m^3	—	—	0.0250
	普通硅酸盐水泥 32.5MPa	t	0.0030	0.0030	—
	机制红砖 240mm×115mm×53mm	千块	0.2270	0.1500	0.0687
	人行道板 400mm×400mm×70mm	千块	0.0620	0.0620	—
	钢筋混凝土预制板	m^3	—	—	0.2990
	水	m^3	0.0490	0.0290	0.1800
	其他材料费占材料费	%	2.0000	2.0000	2.0000

四、排水

工作内容：埋设管卡，成品水落管安装，成品排水零件安装。 单位：分示

定额编号			6-4-9	6-4-10	6-4-25
项 目			塑料管排水		塑料落水口
			水落管 ϕ100	水斗	
			10m	10 个	10 个
名 称		单位	数 量		
人工	综合工日	工日	0.50	0.50	0.670
材料	塑料水落管 ϕ100	m	10.5000	—	—
	塑料落水斗	个	—	10.2000	—
	塑料管卡子 ϕ100	个	6.1200	10.0000	—
	铁件	kg	3.1700	5.7600	—
	石油沥青玛蹄脂	m^3	—	—	0.070
	二等板方材	m^3	—	—	0.036
	塑料落水口	个	—	—	10.100

五、变形缝和止水带（略）

六、耐酸防腐

工作内容：清扫基层，调制砂浆，摊铺，压实。 单位：10m²

定额编号			6-6-7	6-6-8	6-6-9
项 目			钢屑砂浆		酸化处理
			厚 20mm	零星抹灰	
名 称		单位	数 量		
人工	综合工日	工日	2.05	2.15	0.66
材料	素水泥浆	m^3	0.0100	0.0100	—
	铁屑砂浆 1∶0.3∶1.5	m^3	0.2020	0.2121	—
	硫酸 38%	kg	—	—	4.5000
	水	m^3	0.8400	0.8400	0.0100

第七章　金属结构制作工程

一、钢柱制作（略）

二、钢屋架、钢托架制作

工作内容：放样、划线、截料、平直、钻孔、拼装、焊接、成品矫正、除锈、刷防锈漆一遍及成品编号堆放。

单位：t

定额编号			7-2-1	7-2-2	7-2-3
项　目			轻钢屋架	钢屋架	
				1.5t以内	3t以内
	名　称	单位	数　量		
人工	综合工日	工日	21.57	15.54	14.56
材料	角钢∟（70～80）×（4～10）	t	0.8050	0.3330	0.2690
	角钢∟(100～140)×(80～90)×(6～14)	t	0.0610	0.5450	0.3000
	角钢∟(160～200)×(100～125)×(10～18)	t	—	—	0.3700
	中厚钢板 δ=8～10	t	0.1940	0.1450	0.1010
	中厚钢板 δ=16～20	t	—	0.0370	0.0200
	垫木	m^3	0.0100	0.0100	0.0100
	电焊条 E4303 ϕ3.2	kg	62.7300	42.2900	42.2900
	红丹防锈漆	kg	11.6000	11.6000	11.6000
	螺栓	kg	1.7400	1.7400	1.7400
	木脚手板	m^3	0.0300	0.0300	0.0300
	汽油	kg	3.0000	3.0000	3.0000
	氧气	m^3	6.2900	6.2900	6.2900
	乙炔气	m^3	2.7300	2.7200	2.7300
	其他材料费占材料费	%	0.3300	0.3300	0.3300
机械	电动空气压缩机 10m^3/min	台班	0.080	0.080	0.080
	电焊条恒温箱	台班	0.890	0.890	0.890
	电焊条烘干箱	台班	0.890	0.890	0.890
	钢板校平机 30×2600	台班	0.020	0.020	0.020
	轨道平车 10t	台班	0.280	0.280	0.280
	剪板机 40×3100mm	台班	0.020	0.020	0.020
	交流电焊机 40kVA	台班	4.550	2.200	2.130
	门式起重机 10t	台班	0.450	0.450	0.450
	门式起重机 20t	台班	0.170	0.170	0.170
	刨边机 12000mm	台班	0.030	0.030	0.030
	型钢剪断机 500mm	台班	0.110	0.110	0.110
	型钢矫正机	台班	0.110	0.110	0.110
	摇臂钻床 50mm	台班	0.140	0.140	0.140
	其他机械费占机械费	%	3.000	4.000	4.000

三、钢吊车梁、钢制动梁、吊车钢车档制作（略）

四、钢支撑、钢檩条、钢墙架制作

工作内容：放样、划线、截料、平直、钻孔、拼装、焊接、成品矫正、除锈、刷防锈漆一遍及成品编号堆放。

单位：t

定额编号			7-4-1	7-4-2	7-4-3	7-4-4
项目			柱间钢支撑	屋架钢支撑		型钢檩条
				十字	平面组合	
名称		单位	数量			
人工	综合工日	工日	16.61	15.61	16.58	11.92
材料	角钢L（70～80）×（4～10）	t	0.0570	0.8270	0.9400	0.9130
	角钢L（100～140）×（80～90）×（6～14）	t	0.7730	—	—	—
	中厚钢板 $\delta=8\sim10$	t	0.2300	0.2300	0.1200	0.1470
	垫木	m^3	0.0100	0.0100	0.0100	0.0100
	电焊条 E4303 $\phi3.2$	kg	24.9900	24.9900	24.9900	24.9900
	红丹防锈漆	kg	11.6000	11.6000	11.6000	11.6000
	螺栓	kg	1.7400	1.7400	1.7400	1.7400
	木脚手板	m^3	0.0300	0.0300	0.0300	0.0300
	汽油	kg	3.0000	3.0000	3.0000	3.0000
	氧气	m^3	6.2900	6.2900	6.2900	6.2900
	乙炔气	m^3	2.7300	2.7300	2.7300	2.7300
	其他材料费占材料费	%	0.3500	0.3600	0.3600	0.3600
机械	电动空气压缩机 $10m^3/min$	台班	0.080	0.080	0.080	0.080
	电焊条恒温箱	台班	0.890	0.890	0.890	0.890
	电焊条烘干箱	台班	0.890	0.890	0.890	0.890
	钢板校平机 30×2600	台班	0.020	0.020	0.020	0.020
	轨道平车 10t	台班	0.280	0.280	0.280	0.280
	剪板机 40×3100mm	台班	0.020	0.020	0.020	0.020
	交流电焊机 40kVA	台班	2.520	1.940	2.520	1.250
	门式起重机 10t	台班	0.450	0.450	0.450	0.450
	门式起重机 20t	台班	0.170	0.170	0.170	0.170
	刨边机 12000mm	台班	0.030	0.030	0.030	0.030
	型钢剪断机 500mm	台班	0.110	0.110	0.110	0.110
	型钢矫正机	台班	0.110	0.110	0.110	0.110
	摇臂钻床 50mm	台班	0.140	0.140	0.140	0.140
	其他机械费占机械费	%	3.700	4.000	4.000	4.500

五、钢平台、钢梯子、钢栏杆制作（略）

六、钢漏斗、H 型钢制作（略）

七、无损探伤检验

工作内容：搬运仪器、检验仪器及探头、检验部位清理除污、涂抹耦合剂，探伤、检验结果。

单位：10m

定额编号			7-7-5	7-7-6	7-7-7
项目			板厚（mm）		
			25以内	46以内	80以内
名称		单位	数量		
人工	综合工日	工日	0.83	1.10	1.65
材料	机油	kg	0.3000	0.4000	0.5500
	毛刷	把	1.000	1.5000	1.5000
	砂布	张	6.0000	9.0000	13.0000
	探头线	根	0.0200	0.0200	0.0200
	斜探头	个	0.2800	0.4000	0.6000
	耦合剂	kg	2.0000	2.5000	3.0000
	其他材料费占材料费	%	1.0000	1.0000	1.0000
机械	超声波探伤机 CTS-26	台班	0.730	1.100	1.570

八、除锈工程（略）

九、钢屋架、钢托架制作平台摊销

单位 t

定额编号			7-9-1	7-9-2	7-9-3	7-9-4
项目			钢屋架、钢托架			
			1.5t以内	3t以内	5t以内	8t以内
名称		单位	数量			
人工	综合工日	工日	3.63	2.87	2.09	2.37
材料	混合砂浆，M10	m^3	0.1800	0.1400	0.1100	0.1200
	普通钢板 $\delta 10$	kg	5.0500	4.8900	4.7700	4.3600
	电焊条 E4303 $\phi 3.2$	kg	0.1400	0.1100	0.0800	0.0900
	机制红砖 240mm×115mm×53mm	千块	0.0800	0.0600	0.0500	0.0500
	水	m^3	0.0800	0.0600	0.0500	0.0500
机械	灰浆搅拌机 200L	台班	0.020	0.020	0.010	0.020
	交流电焊机 40kVA	台班	0.040	0.030	0.020	0.020
	汽车式起重机 5t	台班	0.110	0.090	0.060	0.070
	载货汽车 4t	台班	0.110	0.090	0.060	0.070

第八章　构筑物及其他工程

一、烟囱

工作内容：(1) 砖烟囱：调运砂浆、砍砖、砌砖、原浆勾缝、支模出檐、安爬梯、烟囱帽抹灰等。

(2) 砖加工：验砖、划线、砍砖、磨平堆放。 单位：10m³

定额编号			8-1-5	8-1-6	8-1-7
项目			砖烟囱及砖加工 筒身高度 (m)		
			20 以内	40 以内	40 以外
名称		单位	数量		
人工	综合工日	工日	28.26	22.68	25.44
材料	混合砂浆，M5	m^3	2.4600	2.5900	2.6200
	机制红砖 240mm×115mm×53mm	千块	6.3900	6.0900	5.7500
	水	m^3	1.2800	1.2300	1.1500
机械	灰浆搅拌机 200L	台班	0.308	0.324	0.328

二、水塔（略）

三、贮水（油）池、贮仓

工作内容：铺管、调制接口材料、接口、养护、试水。 单位：10m

定额编号			8-3-1	8-3-2	8-3-3
项目			池底	池壁	池盖
名称		单位	数量		
人工	综合工日	工日	12.93	17.50	14.21
材料	草袋	m^3	10.1500	10.1500	10.1500
	现浇混凝土 C20，石子<40mm	m^2	7.2200	0.9190	5.7600
	水	m^3	2.1900	1.1340	1.8600
机械	混凝土振捣器（插入式）	台班	2.000	2.000	2.000

四、检查井、化粪池及其他（略）

五、室外排水管道

工作内容：铺管、调制接口材料、接口、养护、试水。 单位：10m

定额编号			8-5-21	8-5-22	8-5-23
项目			承插式混凝土管铺设 水泥砂浆接口		
			管径 (mm)		
			500	600	700
名称		单位	数量		
人工	综合工日	工日	3.06	3.43	3.94
材料	普通硅酸盐水泥 32.5MPa	t	0.0762	0.0938	0.1113
	钢筋混凝土管 DN500	m	10.5000	—	—
	钢筋混凝土管 DN600	m	—	10.5000	—
	钢筋混凝土管 DN700	m	—	—	10.5000
	黄砂（过筛中砂）	m^3	0.2262	0.2784	0.3306
	草袋	m^2	0.7020	0.8640	1.0260
	水	m^3	1.2790	1.5736	1.8690

工作内容：砂石铺设、振实等操作过程。　　单位：10m

定额编号			8-5-69	8-5-70	8-5-71
项　目			排水管道砂石基础 90°		
			管径（mm）		
			500	600	700
名　称		单位	数　量		
人工	综合工日	工日	1.58	1.98	2.26
材料	级配砂石	m^3	3.0233	3.7700	4.3207
	水	m^3	0.7101	0.8860	1.0150
机械	混凝土振捣器（平板式）	台班	0.151	0.189	0.216

六、场区道路（略）

七、构筑物综合项目

工作内容：调制砂浆、混凝土浇捣、养护、砌砖、抹灰、构件运输、安装，搭拆脚手架等操作过程。

单位：座

定额编号			8-7-19	8-7-20
项　目			砖砌化粪池　S231（一）3#	
			有地下水	无地下水
名　称		单位	数　量	
人工	综合工日	工日	49.55	39.33
材料	现浇混凝土 C15，石子＜40mm	m^3	1.3635	—
	现浇混凝土 C20，石子＜40mm	m^3	2.7405	3.5281
	现浇混凝土 C25，石子＜31.5mm	m^3	(2.9740)	(2.1203)
	现浇混凝土 C30，石子＜31.5mm	m^3	2.9740	2.1203
	水泥砂浆 1∶2	m^3	1.2565	1.2517
	混合砂浆，M2.5	m^3	(2.5133)	(1.8518)
	混合砂浆，M5	m^3	2.5133	1.8518
	素水泥浆	m^3	0.0615	0.0613
	细石混凝土 C20	m^3	0.0362	0.0362
	冷底子油 30∶70	kg	15.7488	—
	草板纸 80#	张	3.2787	3.2787
	草袋	m^2	4.3236	4.1892
	挡脚板（三等板材）	m^3	0.0052	0.0043
	底座	个	0.0209	0.0171
	电焊条 E4303 ϕ3.2	kg	2.5267	2.7010
	渡锌低碳钢丝 22#	kg	2.9090	1.8950
	渡锌低碳钢丝 8#	kg	10.1542	9.6076
	对接扣件	个	0.0438	0.0360
	方撑木	m^3	0.0434	0.0434
	防水粉	kg	40.8010	40.6419

（续）

定额编号			8-7-19	8-7-20
项 目			砖砌化粪池 S231（一）3#	
			有地下水	无地下水
名 称		单位	数 量	
人工	综合工日	工日	49.55	39.33
材料	钢管 ϕ48×3.5	m	0.2713	0.2229
	钢筋 ϕ6.5	t	0.0475	0.0376
	钢筋 ϕ8	t	0.0509	0.0021
	钢筋 ϕ10	t	0.1302	0.0258
	钢筋 ϕ12	t	0.0359	0.0753
	钢筋 ϕ14	t	0.1011	0.0965
	钢筋 ϕ16	t	0.1748	0.1653
	钢筋 ϕ18	t	0.0231	0.0231
	钢筋 ϕ20	t	0.0181	0.0181
	隔离剂	kg	1.3379	1.3379
	红丹防锈漆	kg	0.0908	0.0746
	回转扣件	个	0.0480	0.0394
	机制红砖 240mm×115mm×53mm	千块	5.9357	4.3734
	模板材	m^3	0.0204	0.0204
	木柴	kg	66.2762	—
	木脚手板	m^3	0.0089	0.0073
	嵌缝料	kg	0.2450	0.2450
	石油沥青 30#	kg	132.9461	—
	元钉	kg	4.9302	4.8771
	油漆溶剂油	kg	0.0104	0.0086
	预制混凝土盖板 C20	m^3	0.3880	0.3880
	预制井盖及盖座	m^3	0.1780	0.1780
	直角扣件	个	0.1524	0.1252
	组合钢模版	kg	7.0230	9.0230
	水	m^3	3.0195	2.0660
机械	单筒慢速电动卷扬机 50kN	台班	0.116	0.081
	对焊机 75kVA	台班	0.030	0.032
	钢筋切断机 40mm	台班	0.049	0.036
	钢筋弯曲机 40mm	台班	0.115	0.078
	灰浆搅拌机 200L	台班	0.399	0.336
	混凝土振捣器（插入式）	台班	0.736	0.835
	混凝土振捣器（平板式）	台班	0.107	—
	交流电焊机 30kVA	台班	0.127	0.137
	木工压刨床单面 600mm	台班	0.013	0.013
	木工圆钜机 500mm	台班	0.021	0.021
	汽车式起重机 5t	台班	0.009	0.009
	载货汽车 6t	台班	0.044	0.042

工作内容：调制砂浆、铺设垫层、砌砖、抹灰、铸铁井盖、混凝土盖板安装等操作过程。

单位：个

定额编号			8-7-33	8-7-34	8-7-35	8-7-36
项　目			砖砌圆形检查井　S231 ϕ700			
			无地下水（井深m）		有地下水（井深m）	
			2	每增减0.1	2	每增减0.1
名　称		单位	数　量			
人工	综合工日	工日	4.28	0.18	5.29	0.23
材料	现浇混凝土C15，石子<40mm	m^3	0.1313	—	0.1313	—
	现浇混凝土C20，石子<31.5mm	m^3	0.0610	—	0.0610	—
	水泥砂浆1∶2.5	m^3	0.0324	0.0015	0.0708	0.0041
	水泥砂浆1∶3	m^3	0.0761	0.0036	0.1662	0.0096
	水泥砂浆M5	m^3	0.3510	0.0166	0.3510	0.0166
	黄砂（粗砂）	m^3	—	—	0.0377	—
	机制红砖240mm×115mm×53mm	千块	0.8195	0.0388	0.8195	0.0388
	铸铁盖板（带座）	套	1.0000	—	1.0000	—
	模板材	m^3	0.0050	—	0.0050	—
	碎石	m^3	—	—	0.1446	—
	元钉	kg	0.0430	—	0.0430	—
	草袋	m^2	0.1240	—	0.1240	—
	水	m^3	1.1369	0.0094	1.1758	0.0119
机械	电动夯实机20～62N·m	台班	—	—	0.003	—
	灰浆搅拌机200L	台班	0.058	0.003	0.074	0.004
	混凝土振捣器（平板式）	台班	0.010	—	0.010	—

工作内容：清理基层、夯实、铺设垫层；调制砂浆，混凝土浇捣、养护；灌缝，抹面等。

单位：$10m^2$

定额编号			8-7-49	8-7-50
项　目			散水　混凝土	
			3∶7灰土垫层	地瓜石垫层
名　称		单位	数　量	
人工	综合工日	工日	3.73	3.46
材料	现浇混凝土C15，石子<40mm	m^3	0.6060	0.6060
	水泥砂浆1∶2.5	m^3	0.2020	0.1010
	素水泥浆	m^3	0.0100	0.0100
	灰土3∶7	m^3	1.5150	—
	黄砂（过筛中砂）	m^3	—	0.4125
	建筑油膏	kg	11.3025	11.3025
	毛石	m^3	—	1.8360
	木柴	kg	3.3907	3.3907
	草袋	m^2	2.2000	2.2000
	水	m^3	0.6800	0.6800
机械	电动夯实机20～62N·m	台班	0.122	0.100
	灰浆搅拌机200L	台班	0.026	0.012
	混凝土振捣器（平板式）	台班	0.047	0.047

工作内容：清理基层、夯实、铺设垫层；调制砂浆，混凝土浇捣、养护；抹面或铺块料面层等。

单位：10m²

定额编号			8-7-53	8-7-54
项目			混凝土坡道 3∶7 灰土垫层	
			混凝土厚度/mm	
			100	每增减 20
名称		单位	数量	
人工	综合工日	工日	4.41	0.21
材料	现浇混凝土 C20，石子<40mm	m^3	1.0100	0.2020
	水泥砂浆 1∶1	m^3	0.0510	—
	灰土 3∶7	m^3	3.0300	—
	草袋	m^2	2.2000	—
	水	m^3	0.8800	0.1000
机械	电动夯实机 20～62N·m	台班	0.188	—
	灰浆搅拌机 200L	台班	0.008	—
	混凝土振捣器（平板式）	台班	0.079	0.016

第九章 装饰工程

一、楼地面工程

工作内容：(1) 清理基层、调运砂浆、抹平、压实。

(2) 清理基层、混凝土搅拌、捣平、压实。

(3) 刷素水泥浆。

单位：10m²

定额编号			9-1-1	9-1-2	9-1-3	9-1-4	9-1-5
项目			水泥砂浆			细石混凝土	
			在混凝土或硬基层上	在填充材料上	每增减 5mm	40mm	每增减 5mm
			20mm				
名称		单位	数量				
人工	综合工日	工日	0.78	0.80	0.14	1.03	0.14
材料	水泥砂浆 1∶3	m^3	0.2020	0.2530	0.0510	—	—
	素水泥浆	m^3	0.0100	—	—	0.0100	—
	细石混凝土 C20	m^3	—	—	—	0.4040	0.0510
	水	m^3	0.0600	0.0600	—	0.0600	—
机械	灰浆搅拌机 200L	台班	0.034	0.042	0.009	—	—
	混凝土振捣器（平板式）	台班	—	—	—	0.024	0.004

工作内容：清理基层、调运砂浆、刷素水泥浆、抹面、压光、养护。 单位：分示

定额编号			9-1-9	9-1-12	9-1-13
项　目			水泥砂浆		
			楼地面 20mm	加浆抹光随捣随抹 5mm	踢脚线 20mm
			10m²		10m
名　称		单位	数　量		
人工	综合工日	工日	1.03	0.75	0.50
材料	水泥砂浆 1∶1	m³	—	0.0510	—
	水泥砂浆 1∶2.5	m³	0.2020	—	0.0120
	水泥砂浆 1∶3	m³	—	—	0.0180
	素水泥浆	m³	0.0100	—	—
	草袋	m²	2.2000	2.2000	—
	水	m³	0.3800	0.3800	0.0570
机械	灰浆搅拌机 200L	台班	0.034	0.009	0.005

工作内容：清理基层、调运水泥砂浆或胶黏剂、刷素水泥浆、贴彩釉砖、擦缝、清理净面。

单位：10m²

定额编号			9-1-86	9-1-87
项　目			彩釉砖踢脚板	
			水泥砂浆	胶黏剂
名　称		单位	数　量	
人工	综合工日	工日	0.96	1.06
材料	水泥砂浆 1∶2.5	m³	0.0200	—
	普通硅酸盐水泥 32.5MPa	t	0.0030	—
	白水泥	kg	0.2000	0.4000
	彩釉砖 300×300	块	17.0000	17.0000
	干粉型胶黏剂	kg	—	6.0000
	108胶	kg	0.2000	—
	锯末	m³	0.0090	0.0090
	棉纱	kg	0.0150	0.0150
	石料切割锯片	片	0.0040	0.0040
	水	m³	0.0400	0.0400
机械	灰浆搅拌机 200L	台班	0.003	0.003
	石料切割机	台班	0.019	0.019

工作内容：清理基层、试排弹线、锯板磨边、铺贴饰面、清理净面。 单位：10m²

定额编号			9-1-114	9-1-115	9-1-116
项目			全瓷地板砖 楼、地面		
			周长（mm 以内）		
			2400	3200	4000
名称		单位	数量		
人工	综合工日	工日	2.35	2.76	3.25
材料	水泥砂浆 1∶2.5	m^3	0.1010	0.1010	0.1010
	素水泥浆	m^3	0.0100	0.0100	0.0100
	白水泥	kg	1.0300	1.0300	1.0300
	锯末	m^3	0.0600	0.0600	0.0600
	棉纱	kg	0.1000	0.1000	0.1000
	全瓷抛光地板砖 600mm×600mm	块	28.0000	—	—
	全瓷抛光地板砖 800mm×800mm	块	—	16.0000	—
	全瓷抛光地板砖 1000mm×1000mm	块	—	—	11.0000
	石料切割锯片	片	0.0320	0.0320	0.0320
	水	m^3	0.2600	0.2600	0.2600
机械	灰浆搅拌机 200L	台班	0.017	0.017	0.017
	石料切割机	台班	0.151	0.151	0.151

工作内容：清理基层、试排弹线、锯板磨边、铺贴饰面、清理净面。 单位：10m²

定额编号			9-1-169	9-1-170	9-1-171
项目			全瓷地板砖		
			干硬性水泥砂浆 周长（mm 以内）		
			2400	3200	4000
名称		单位	数量		
人工	综合工日	工日	2.820	3.312	3.900
材料	水泥砂浆 1∶2	m^3	0.303	0.303	0.303
	素水泥浆	m^3	0.010	0.010	0.010
	白水泥	kg	1.030	1.030	1.030
	全瓷抛光地板砖 600mm×600mm	块	28.000	—	—
	全瓷抛光地板砖 800mm×800mm	块	—	16.000	—
	全瓷抛光地板砖 1000mm×1000mm	块	—	—	11.000
	锯末	m^3	0.060	0.060	0.060
	棉纱	kg	0.100	0.100	0.100
	石料切割锯片	片	0.032	0.032	0.032
	水	m^3	0.260	0.260	0.260
机械	石料切割机	台班	0.151	0.151	0.151
	灰浆搅拌机 200L	台班	0.019	0.019	0.019

工作内容：清理基层、试排弹线、锯板磨边、铺贴饰面、清理净面。　　单位：10m²

定额编号			9-1-172	9-1-173
项目			全瓷地板砖踢脚板	
			水泥砂浆	
			直形	异形
名称		单位	数量	
人工	综合工日	工日	5.144	5.914
材料	水泥砂浆 1:2.5	m^3	0.101	0.101
	素水泥浆	m^3	0.010	0.010
	白水泥	kg	1.400	1.400
	全瓷地板砖踢脚板　直形	m^2	10.200	—
	全瓷地板砖踢脚板　异形	m^2	—	10.200
	棉纱	kg	0.150	0.150
	石料切割锯片	片	0.036	0.036
	水	m^3	0.300	0.300
机械	石料切割机	台班	0.151	0.151
	灰浆搅拌机 200L	台班	0.017	0.017

二、墙、柱面工程

工作内容：(1) 清理、修补、湿润基层表面、堵墙眼、调运砂浆、清扫落地灰。

(2) 分层抹灰找平、刷浆、洒水湿润、罩面压光。　　单位：10m²

定额编号			9-2-20	9-2-31	9-2-42
项目			墙、柱面一般抹灰　墙面、墙裙（厚度）		
			14mm+6mm	14mm+6mm	厚度 7mm
			水泥砂浆	混合砂浆	石膏砂浆
名称		单位	数量		
人工	综合工日	工日	1.45	1.37	1.61
材料	水泥砂浆 1:2.5	m^3	0.0690	—	—
	水泥砂浆 1:3	m^3	0.1620	—	—
	水泥砂浆 1:2	m^3	—	—	0.0010
	石膏砂浆 1:3	m^3	—	—	0.0900
	石膏浆	m^3	—	—	0.0220
	混合砂浆 1:1:4	m^3	—	0.0690	—
	混合砂浆 1:1:6	m^3	—	0.1620	—
	水	m^3	0.0700	0.0690	0.0500
机械	灰浆搅拌机 200L	台班	0.039	0.039	—

工作内容：(1) 砂浆厚度调整：调运砂浆。

(2) 水刷石零星项目：清理、修补、湿润基层表面、堵墙眼、调运砂浆、清扫落地灰。

（3）砖墙勾缝：刷缝、洗刷、调运砂浆、勾缝、修补等。 单位：10m²

定额编号			9-2-60	9-2-64	9-2-77
项目			墙、柱面一般抹灰		
			抹灰层每增减 1mm	砖墙	水刷白石子零星项目
			石膏砂浆	勾缝	12mm+10mm
名称		单位	数量		
人工	综合工日	工日	0.04	0.69	8.92
材料	水泥砂浆 1∶3	m³	—	—	0.1450
	水泥砂浆 1∶1	m³	—	0.0090	—
	水泥白石子浆 1∶1.5	m³	—	—	0.1200
	素水泥浆	m³	—	—	0.0110
	108 胶	kg	—	—	0.2210
	水泥石子浆 1∶1.5	m³	—	—	0.0110
	石膏砂浆 1∶3	m³	0.0110	—	0.2210
	水	m³	0.0010	0.0410	0.2820
机械	灰浆搅拌机 200L	台班	0.002	0.002	0.041

工作内容：（1）玻璃条制作安装、划线分格。

（2）清扫基层、涂刷素水泥浆。 单位：10m²

定额编号			9-2-109	9-2-110	9-2-111	9-2-112
项目			分格嵌缝		增减一遍素水泥浆	
			玻璃嵌缝	分格	有 108 胶	无 108 胶
名称		单位	数量			
人工	综合工日	工日	0.80	0.58	0.12	0.12
材料	素水泥浆	m³	—	—	0.0110	0.0110
	108 胶	kg	—	—	0.2210	—
	平板玻璃 3mm	m²	0.2390	—	—	—

工作内容：（1）清理修补基层表面、打底抹灰、砂浆找平。

（2）运料、抹结合层砂浆（胶黏剂）、贴块料、擦缝。 单位：10m²

定额编号			9-2-210	9-2-211	9-2-212
			面砖 水泥砂浆黏贴 灰缝（mm 以内）		
			5	10	20
名称		单位	数量		
人工	综合工日	工日	5.22	5.21	5.19
材料	水泥砂浆 1∶1	m³	0.0150	0.0220	0.0410
	水泥砂浆 1∶2	m³	0.0510	0.0510	0.0510
	水泥砂浆 1∶3	m³	0.1680	0.1680	0.1680
	素水泥浆	m³	0.0100	0.0100	0.0100
	瓷质外墙砖 150×75	块	828.0000	783.0000	692.0000
	棉纱	kg	0.1000	0.1000	0.1000
	石料切割锯片	片	0.0750	0.0750	0.0750
	水	m³	0.0790	0.0790	0.0790
机械	灰浆搅拌机 200L	台班	0.035	0.036	0.037
	石料切割机	台班	0.116	0.116	0.116

三、顶棚工程

工作内容：(1) 清理修补基层表面、堵眼、调运砂浆、清扫落地灰。

(2) 抹灰找平、罩面及压光及小圆角抹光。　　单位：10m²

定额编号			9-3-3	9-3-4	9-3-5
项目			混凝土面顶棚抹灰		
			水泥砂浆		混合砂浆
			现浇	预制	抹灰
名称		单位	数量		
人工	综合工日	工日	1.58	1.77	1.16
材料	水泥砂浆 1∶2.5	m^3	0.0720	0.0820	—
	水泥砂浆 1∶3	m^3	0.1010	0.1230	—
	混合砂浆 1∶1∶6	m^3	—	—	0.1130
	素水泥浆	m^3	0.0100	0.0100	—
	108胶	kg	0.2760	0.2760	—
	水	m^3	0.0190	0.0190	0.0190
机械	灰浆搅拌机 200L	台班	0.029	0.034	0.019

四、油漆、涂料及裱糊

工作内容：清扫、磨砂纸、点漆片、刮腻子、刷底油一遍、刷调合漆等。　　单位：10m²

定额编号			9-4-1	9-4-2	9-4-6	9-4-7
项目			木材面　调合漆刷面			
			底油一遍、调合漆二遍		调合漆三遍	
			单层木门	单层木窗	单层木门	单层木窗
名称		单位	数量			
人工	综合工日	工日	1.77	1.77	3.62	3.62
材料	白布	m^2	0.0250	0.0250	0.0510	0.0510
	催干剂	kg	0.1030	0.0860	0.1510	0.1260
	工业酒精 99.5%	kg	0.0430	0.0360	0.0100	0.0080
	漆片	kg	0.0070	0.0060	—	—
	清油	kg	0.1750	0.1460	0.3550	0.2960
	砂纸	张	4.2000	3.5000	6.0000	5.0000
	石膏粉	kg	0.5040	0.4200	0.5300	0.4420
	熟桐油	kg	0.4250	0.3540	0.6890	0.5740
	无光调合漆	kg	4.6970	3.9140	7.1950	5.9960
	油漆溶剂油	kg	1.1140	0.9280	1.1140	0.9280
	大白粉	kg	—	—	1.8670	0.0080
	棉纱	kg	—	—	0.3600	0.3000

工作内容：除锈、清扫、清洗、刷漆等。 单位：分示

定额编号			9-4-136	9-4-137	9-4-138	9-4-139
项目			红丹防锈漆一遍		银粉漆二遍	
			金属面	金属构件	金属面	金属构件
			$10m^2$	t	$10m^2$	t
名称		单位	数量			
人工	综合工日	工日	0.39	0.98	1.14	2.26
材料	砂布	张	2.7000	8.0000	—	—
	清油	kg	—	—	1.0340	2.9100
	银粉	kg	—	—	0.2550	0.7200
	砂纸	张	—	—	0.8000	2.0000
	催干剂	kg	—	—	0.0660	0.1900
	白布	m^2	—	—	0.0160	0.0300
	红丹防锈漆	kg	1.6520	4.6500	—	—
	油漆溶剂油	kg	0.1720	0.4800	2.7580	7.7600

工作内容：清理基层、刷各遍涂料，调制腻子、刮腻子、磨砂纸、涂刷面层等。 单位：$10m^2$

定额编号			9-4-151	9-4-164	9-4-184
项目			顶棚 室内刷乳胶漆二遍	抹灰面刷涂料面层 仿瓷涂料（二遍）	抹灰墙面（一底二涂） 丙烯酸外墙面涂料
名称		单位	数量		
人工	综合工日	工日	0.38	0.58	0.81
材料	白布	m^2	0.0070	—	—
	乳胶漆	kg	2.9200	—	—
	砂纸	张	0.8000	—	—
	108胶	kg	—	8.0000	—
	双飞粉	kg	—	20.0000	—
	丙烯乳胶漆	kg	—	—	4.2000
	丙烯酸清漆	kg	—	—	1.2000

工作内容：清理基层、调制胶漆、裱糊面料等。 单位：$10m^2$

定额编号			9-4-209	9-4-210	9-4-211	9-4-212
项目			顶棚、内墙抹灰面		外墙抹灰面	
			满刮腻子			
			二遍	每增一遍	二遍	每增一遍
名称		单位	数量			
人工	综合工日	工日	0.44	0.15	0.54	0.30
材料	白水泥	kg	—	—	5.0000	1.6700
	白乳胶	kg	—	—	0.2500	0.0800
	108胶	kg	1.0000	0.3500	1.8000	0.6000
	滑石粉	kg	3.6500	1.2800	—	—
	砂纸	张	6.0000	3.0000	6.0000	3.0000

五、配套装饰项目

工作内容：定位、弹线、打孔、安装成品线条、清理净面。 单位：10m

定额编号			9-5-83	9-5-84
项目			石膏阴阳角线	
			宽度（mm 以内）	
			100	150
名称		单位	数量	
人工	综合工日	工日	0.51	0.60
材料	石膏粉	kg	0.4000	0.5000
	石膏装饰线 100mm（阴阳角）	m	11.0000	—
	石膏装饰线 150mm（阴阳角）	m	—	11.0000
	力能胶	kg	0.2000	0.2500
	直钉	盒	0.0200	0.0200

第十章 施工技术措施项目

一、脚手架工程

工作内容：平土、挖坑、安底座、打缆风桩、拉缆风绳、场内外材料运输、搭拆脚手架、上料平台、挡脚板、护身栏杆、上下翻板子和拆除后的材料堆放、整理外运等。 单位：$10m^2$

定额编号			10-1-2	10-1-4	10-1-5	10-1-6
项目			木架	钢管架		
				15m 以内		24m 以内
			双排	单排	双排	
名称		单位	数量			
人工	综合工日	工日	0.81	0.65	0.87	0.98
材料	底座	个	—	0.0240	0.0370	0.0260
	镀锌低碳钢丝 8#	kg	11.3660	0.4130	0.4750	0.5320
	钢管 ϕ48×3.5	m	—	1.1340	1.6910	1.8360
	钢丝绳 ϕ8.1～9	kg	—	0.0250	0.0250	0.0260
	红丹防锈漆	kg	—	0.3770	0.5600	0.6100
	木脚手板	m^3	0.0119	0.0081	0.0093	0.0123
	元钉	kg	0.0640	0.0400	0.0550	0.0660
	油漆溶剂油	kg	—	0.0430	0.0630	0.0700
	圆木桩	m^3	—	0.0003	0.0003	0.0002
	直角扣件	个	—	0.8330	1.2930	1.2880
	对接扣件	个	—	0.1060	0.1820	0.2670
	回转扣件	个	—	0.0520	0.0520	0.0740
	木脚手杆	m^3	0.0488	—	—	—
机械	载货汽车 6t	台班	0.034	0.022	0.030	0.028

工作内容：(1) 脚手架搭拆同前。

(2) 平台下料、制作、固定、钢缆绳加固等。 单位：10m²

<table>
<tr><td colspan="3">定 额 编 号</td><td>10-1-8</td><td>10-1-11</td><td>10-1-14</td></tr>
<tr><td colspan="3" rowspan="3">项 目</td><td colspan="2">钢管架</td><td>型钢平台外挑</td></tr>
<tr><td>50m 以内</td><td>10m 以内</td><td>双排钢管架</td></tr>
<tr><td colspan="2">双排</td><td>110m 以内</td></tr>
<tr><td colspan="2">名 称</td><td>单位</td><td colspan="3">数 量</td></tr>
<tr><td>人工</td><td>综合工日</td><td>工日</td><td>1.32</td><td>3.91</td><td>3.95</td></tr>
<tr><td rowspan="18">材料</td><td>底座</td><td>个</td><td>0.0280</td><td>0.0280</td><td>0.0280</td></tr>
<tr><td>垫木</td><td>m³</td><td>—</td><td>0.0006</td><td>0.0002</td></tr>
<tr><td>镀锌低碳钢丝 8#</td><td>kg</td><td>0.6360</td><td>0.5470</td><td>0.3240</td></tr>
<tr><td>钢管 φ48×3.5</td><td>m</td><td>3.2900</td><td>10.7530</td><td>8.7790</td></tr>
<tr><td>钢丝绳 φ8.1～9</td><td>kg</td><td>0.1860</td><td>0.5630</td><td>0.5630</td></tr>
<tr><td>红丹防锈漆</td><td>kg</td><td>1.0890</td><td>3.5630</td><td>2.2150</td></tr>
<tr><td>木脚手板</td><td>m³</td><td>0.0234</td><td>0.0540</td><td>0.0232</td></tr>
<tr><td>元钉</td><td>kg</td><td>0.0770</td><td>0.1100</td><td>0.0234</td></tr>
<tr><td>油漆溶剂油</td><td>kg</td><td>0.1240</td><td>0.4050</td><td>0.4200</td></tr>
<tr><td>圆木桩</td><td>m³</td><td>0.0006</td><td>0.0020</td><td>0.0020</td></tr>
<tr><td>直角扣件</td><td>个</td><td>2.1180</td><td>7.8060</td><td>5.8320</td></tr>
<tr><td>对接扣件</td><td>个</td><td>0.4420</td><td>1.5100</td><td>0.3290</td></tr>
<tr><td>回转扣件</td><td>个</td><td>0.4230</td><td>0.8300</td><td>1.1660</td></tr>
<tr><td>槽钢[18#</td><td>kg</td><td>—</td><td>—</td><td>9.1470</td></tr>
<tr><td>电焊条 E4303φ3.2</td><td>kg</td><td>—</td><td>—</td><td>0.5760</td></tr>
<tr><td>钢丝绳 φ17.5</td><td>kg</td><td>—</td><td>—</td><td>1.4127</td></tr>
<tr><td>钢丝绳夹 18M16</td><td>个</td><td>—</td><td>—</td><td>1.8460</td></tr>
<tr><td>花篮螺栓 COM14×150</td><td>套</td><td>—</td><td>—</td><td>0.3080</td></tr>
<tr><td></td><td>铁件</td><td>kg</td><td>—</td><td>—</td><td>4.6140</td></tr>
<tr><td rowspan="2">机械</td><td>载货汽车 6t</td><td>台班</td><td>0.030</td><td>0.036</td><td>0.029</td></tr>
<tr><td>交流电焊机 30kVA</td><td>台班</td><td>—</td><td>—</td><td>0.015</td></tr>
</table>

工作内容：平土、挖坑、安底座、选料、材料的场内外运输、搭拆架子、铺拆脚手板、拆除后材料堆放、外运等。 单位：10m²

<table>
<tr><td colspan="3">定 额 编 号</td><td>10-1-21</td><td>10-1-22</td><td>10-1-27</td><td>10-1-28</td></tr>
<tr><td colspan="3" rowspan="3">项 目</td><td colspan="4">钢管架</td></tr>
<tr><td colspan="2">3.6m 以内</td><td rowspan="2">基本层</td><td rowspan="2">增加层 1.2m</td></tr>
<tr><td>单排</td><td>双排</td></tr>
<tr><td colspan="2">名 称</td><td>单位</td><td colspan="4">数 量</td></tr>
<tr><td>人工</td><td>综合工日</td><td>工日</td><td>0.39</td><td>0.54</td><td>0.96</td><td>0.36</td></tr>
<tr><td rowspan="12">材料</td><td>底座</td><td>个</td><td>0.0050</td><td>0.0100</td><td>—</td><td>—</td></tr>
<tr><td>木脚手架</td><td>m³</td><td>0.0011</td><td>0.0011</td><td></td><td>—</td></tr>
<tr><td>钢管 φ48×3.5</td><td>m</td><td>0.0274</td><td>0.0530</td><td>0.2600</td><td>0.0870</td></tr>
<tr><td>镀锌低碳钢丝 8#</td><td>kg</td><td>0.4530</td><td>0.4530</td><td>2.9340</td><td>—</td></tr>
<tr><td>对接扣件</td><td>个</td><td>0.0010</td><td>0.0017</td><td>0.0420</td><td>0.0140</td></tr>
<tr><td>直角扣件</td><td>个</td><td>0.0135</td><td>0.0270</td><td>0.1460</td><td>0.0490</td></tr>
<tr><td>红丹防锈漆</td><td>kg</td><td>0.0091</td><td>0.0175</td><td>0.0870</td><td>0.0290</td></tr>
<tr><td>元钉</td><td>kg</td><td>0.0660</td><td>0.0660</td><td>0.2850</td><td>—</td></tr>
<tr><td>油漆溶剂油</td><td>kg</td><td>0.0010</td><td>0.0020</td><td>0.0100</td><td>0.0030</td></tr>
<tr><td>木脚手板</td><td>m³</td><td>—</td><td>—</td><td>0.0085</td><td>—</td></tr>
<tr><td>挡脚板（三等板材）</td><td>m³</td><td>—</td><td>—</td><td>0.0050</td><td>—</td></tr>
<tr><td>回转扣件</td><td>kg</td><td>—</td><td>—</td><td>0.0460</td><td>0.0150</td></tr>
<tr><td>机械</td><td>载货汽车 6t</td><td>台班</td><td>0.022</td><td>0.031</td><td>0.010</td><td>0.002</td></tr>
</table>

工作内容：支撑、挂网、翻网绳、阴阳角挂绳、拆除等。 单位：10m²

定额编号			10-1-46	10-1-51
项目			立挂式	建筑物垂直封闭
				密目网
名称		单位	数量	
人工	综合工日	工日	0.02	0.17
材料	安全网	m^3	3.2080	—
	镀锌低碳钢丝 8#	kg	0.9690	0.9690
	密目网	m^2	—	10.5000

二、垂直运输机械及超高增加

工作内容：单位工程在合理工期内完成全部工程项目所需要的垂直运输机械。 单位：分示

定额编号			10-2-1	10-2-2	10-2-3	10-2-4
项目			±0.00 以下垂直运输机械 钢筋混凝土			
			满堂基础（深度>3m）	地下室		
				一层	二层	三层
			$10m^3$	$10m^2$		
名称		单位	数量			
人工	综合项目	工日	0.45	—	—	—
机械	单筒快速电动卷扬机 20kN	台班	—	0.250	0.263	0.275
	塔式起重机	台班	0.385	0.680	0.570	0.420

注：1. 钢筋混凝土地下室含基础用塔吊台班。

2. 卷扬机为地下室抹灰用，若不抹灰应扣除。

工作内容：单位工程在合理工期内完成全部工程项目所需要的垂直运输机械。 单位：10m²

定额编号			10-2-5	10-2-6	10-2-7	10-2-8
项目			20m 以下垂直运输机械			
			建筑物		单层厂房	多层厂房
			混合结构	现浇混凝土结构	预制排架	预制框架
名称		单位	数量			
机械	单筒快速电动卷扬机 20kN	台班	0.811	1.091	1.800	0.994
	塔式起重机	台班	0.244	0.328	—	—

工作内容：单位工程在合理工期内完成全部工程项目所需要的垂直运输机械及由水压不足所发生的加压用水泵台班。

单位：$10m^2$

定额编号			10-2-9	10-2-10	10-2-11	10-2-12
项目			20m以上垂直运输机械 混合结构			
			影剧院混合结构		其他混合结构	
			檐高（m）以内			
			30	40	30	40
名称		单位	数量			
人工	综合工日	工日	—	—	—	0.31
机械	单筒快速电动卷扬机 20kN	台班	1.075	1.175	0.838	1.017
	电动多级离心清水泵 50mm	台班	—	0.114	0.114	0.174
	对讲机	台班	—	—	—	0.610
	塔式起重机 8t	台班	0.394	0.431	0.252	0.305
	其他机械费占机械费	%	—	—	2.000	2.000

工作内容：(1) 工人上下降低工效。

(2) 垂直运输影响的时间。

(3) 由于人工降效引起的其他机械降效。

定额编号			10-2-54	10-2-55	10-2-56
项目			建筑物超高人工、机械增加 檐高（m）以内		
			70	80	90
名称		单位	数量		
材料	人工降效	%	12.8600	15.0000	17.1100
机械	其他机械降效	%	12.860	15.000	17.110

三、构件运输及安装工程

工作内容：设置一般支架（垫木条）、装车绑扎、运输按规定地点卸车堆放、支垫稳固。

单位：$10m^2$

定额编号			10-3-7	10-3-11	10-3-12	10-3-31
项目			预制混凝土构件运输			Ⅱ类金属结构构件运输
			Ⅱ类	Ⅲ类		
			10km以内	10km以内	10km以外每增1km	10km以内
名称		单位	数量			
人工	综合工日	工日	3.92	6.30	0.61	1.60
材料	镀锌低碳钢丝 8#	kg	3.1400	2.4000	—	2.1000
	二等板方材	m^3	0.0100	0.0200	—	0.0360
	钢丝绳	kg	0.3200	0.2500	—	0.2100
	角钢支架	kg	—	2.1300	—	—
机械	汽车式起重机 5t	台班	0.540	—	—	0.330
	载货汽车 8t	台班	0.810	—	0.153	0.600
	平板拖车组 20t	台班	—	1.580	—	—
	汽车式起重机 5t	台班	—	1.050	—	—

工作内容：装车、绑扎、运输、按指定地点卸车、堆放。　　　　单位：10m^2

定额编号			10-3-38	10-3-41	10-3-44
项　目			木门窗运输	铝合金、塑钢门窗运输	
				不带纱	带纱
			10km 以内		
名　称		单位	数　量		
人工	综合工日	工日	0.15	0.08	0.08
材料	镀锌低碳钢丝 8$^{\#}$	kg	—	0.4300	0.4300
	二等板方材	m^3	—	0.0200	0.0200
	钢丝绳	kg	—	0.4300	0.4300
机械	载货汽车 6t	台班	0.076	0.028	—
	载货汽车 8t	台班	—	—	0.030

工作内容：(1) 构件翻身、就位、加固、安装、校正、垫实结点、焊接或紧固螺栓。

(2) 构件灌缝。

单位：10m^3

定额编号			10-3-51	10-3-52	10-3-53	10-3-54
项　目			轮胎式起重机安装柱　每个构件单体（m^{3}以内）			
			6		10	
			安装	灌缝	安装	灌缝
名　称		单位	数　量			
人工	综合工日	工日	7.11	2.94	7.85	0.75
材料	细石混凝土 C20	m^3	—	0.7300	—	0.3600
	混凝土柱（现场预制）	m^3	(10.000)	—	(10.000)	—
	垫木	m^3	0.0910	—	0.0900	—
	方木撑	m^3	0.0040	—	0.0020	—
	麻袋	条	0.4400	—	0.2500	—
	杉杆 ϕ0.12m×2.5m	m^3	0.0980	—	0.0850	—
	元钉	kg	1.1100	—	0.6200	—
	斜垫铁	kg	2.9600	—	1.6700	—
	草袋	m^2	—	0.3900	—	0.2000
	水	m^3	—	0.6700	—	0.3300
机械	轮胎式起重机 25t	台班	0.370	—	—	—
	轮胎式起重机 40t	台班	—	—	0.410	—
	载货汽车 6t	台班	0.010	—	0.010	—

工作内容：(1) 构件翻身、就位、加固、安装、校正、垫实结点、焊接或紧固螺栓。
(2) 构件灌缝。

<table>
<tr><td colspan="3">定额编号</td><td>10-3-83</td><td>10-3-85</td><td>10-3-148</td></tr>
<tr><td colspan="3" rowspan="2">项目</td><td>T型吊车梁</td><td colspan="2">灌缝</td></tr>
<tr><td>单体 1.5 m³以内</td><td>吊车梁</td><td>天窗架、端壁板</td></tr>
<tr><td colspan="2">名称</td><td>单位</td><td colspan="3">数量</td></tr>
<tr><td>人工</td><td>综合工日</td><td>工日</td><td>4.94</td><td>3.15</td><td>4.80</td></tr>
<tr><td rowspan="12">材料</td><td>细石混凝土 C20</td><td>m³</td><td>—</td><td>0.9880</td><td>0.0100</td></tr>
<tr><td>混凝土 T 型吊车梁（现场预制）</td><td>m³</td><td>(10.0000)</td><td>—</td><td>—</td></tr>
<tr><td>垫木</td><td>m³</td><td>0.0030</td><td>—</td><td>—</td></tr>
<tr><td>垫铁</td><td>kg</td><td>1.4100</td><td>—</td><td>—</td></tr>
<tr><td>电焊条 E4303 ϕ3.2</td><td>kg</td><td>1.8300</td><td>—</td><td>—</td></tr>
<tr><td>镀锌低碳钢丝 8#</td><td>kg</td><td>0.4500</td><td>—</td><td>2.4100</td></tr>
<tr><td>方木撑</td><td>m³</td><td>0.0020</td><td>—</td><td>—</td></tr>
<tr><td>麻袋</td><td>条</td><td>0.3600</td><td>—</td><td>—</td></tr>
<tr><td>元钉</td><td>kg</td><td>0.4500</td><td>5.5500</td><td>0.5300</td></tr>
<tr><td>模板材</td><td>m³</td><td>—</td><td>0.1220</td><td>0.0170</td></tr>
<tr><td>草袋</td><td>m²</td><td>—</td><td>0.3200</td><td>0.1000</td></tr>
<tr><td>水</td><td>m³</td><td>—</td><td>0.8830</td><td>0.0100</td></tr>
<tr><td rowspan="4">机械</td><td>交流电焊机 30kVA</td><td>台班</td><td>0.760</td><td>—</td><td>—</td></tr>
<tr><td>轮胎式起重机 20t</td><td>台班</td><td>0.380</td><td>—</td><td>—</td></tr>
<tr><td>木工圆锯机 500mm</td><td>台班</td><td>—</td><td>0.320</td><td>0.035</td></tr>
<tr><td>载货汽车 6t</td><td>台班</td><td>—</td><td>0.010</td><td>0.002</td></tr>
</table>

工作内容：构件加固、吊装校正、拧紧螺栓、电杆固定、构件翻身、就位。 单位：10m²

<table>
<tr><td colspan="3">定额编号</td><td>10-3-242</td><td>10-3-243</td><td>10-3-244</td></tr>
<tr><td colspan="3" rowspan="3">项目</td><td colspan="3">单式柱间支撑</td></tr>
<tr><td colspan="3">每榀构件重量（t 以内）</td></tr>
<tr><td>0.3</td><td>0.5</td><td>1</td></tr>
<tr><td colspan="2">名称</td><td>单位</td><td colspan="3">数量</td></tr>
<tr><td>人工</td><td>综合工日</td><td>工日</td><td>9.28</td><td>4.48</td><td>3020</td></tr>
<tr><td rowspan="5">材料</td><td>垫木</td><td>m³</td><td>0.0020</td><td>0.0010</td><td>0.0010</td></tr>
<tr><td>电焊条 E4303 ϕ3.2</td><td>kg</td><td>42.5600</td><td>17.3900</td><td>10.6400</td></tr>
<tr><td>镀锌低碳钢丝 8#</td><td>kg</td><td>0.1900</td><td>0.1900</td><td>0.2000</td></tr>
<tr><td>二等板方材</td><td>m³</td><td>0.0010</td><td>0.0010</td><td>0.0010</td></tr>
<tr><td>圆木</td><td>m³</td><td>0.0040</td><td>0.0040</td><td>0.0040</td></tr>
<tr><td rowspan="2">机械</td><td>交流电焊机 30kVA</td><td>台班</td><td>1.320</td><td>0.640</td><td>0.460</td></tr>
<tr><td>轮胎式起重机 20t</td><td>台班</td><td>0.580</td><td>0.280</td><td>0.200</td></tr>
</table>

四、混凝土模板及支撑工程

工作内容：(1) 木模板制作。

(2) 模板安装、拆除、整理、堆放及场内外运输。

(3) 清理模板黏结物及模内杂物、刷隔离剂等。

单位：10m²

定额编号			10-4-5	10-4-6	10-4-36	10-4-37	10-4-49
项目			带形基础（无梁式）		高杯基础		混凝土基础垫层
			毛石混凝土		混凝土		
			胶合板模板		复合木模板		
			对拉螺栓钢支撑	木支撑	钢支撑	木支撑	木模板
名称		单位	数量				
人工	综合工日	工日	1.96	1.95	2.90	2.87	1.28
材料	水泥砂浆 1∶2	m³	0.0012	0.0012	0.0012	0.0012	0.0012
	草板纸 80#	张	3.0000	3.0000	3.0000	3.0000	—
	镀锌低碳钢丝 20#	kg	0.0018	0.0018	0.0180	0.0180	0.0180
	镀锌低碳钢丝 8#	kg	2.6440	—	5.7670	3.8510	—
	尼龙帽	个	13.9000	—	—	—	—
	塑料套管	套	6.8000	—	—	—	—
	对拉螺栓	kg	0.8440	—	—	—	—
	支撑钢管及扣件	kg	1.9100	—	3.3430	—	—
	复合木模板	m²	—	—	0.2140	0.2140	—
	胶合板模板	m²	1.1800	1.1800			—
	零星卡具	kg	—	—	3.6660	2.3660	—
	模板材	kg	—	—	0.0101	0.0101	0.1445
	方撑木	m³	0.0185	0.0607	0.0519	0.0774	—
	隔离剂	kg	1.0000	1.0000	1.0000	1.0000	1.0000
	元钉	kg	0.6290	1.8460	1.7020	0.3240	0.1445
机械	木工圆锯机 500mm	台班	0.004	0.004	0.009	0.009	0.016
	汽车式起重机 5t	台班	0.005	—	0.017	0.008	—
	载货汽车 6t	台班	0.026	0.027	0.038	0.032	0.011

工作内容：(1) 木模板制作。

(2) 模板安装、拆除、整理、堆放及场内外运输。

(3) 清理模板黏结物及模内杂物、刷隔离剂等。

单位：10m²

定额编号			10-4-84	10-4-85	10-106	10-107	10-4-116
项目			矩形柱		基础梁		过梁
			组合钢模板		复合木模板		组合钢模板
			钢支撑	钢支撑	钢支撑	木支撑	木支撑
名称		单位	数量				
人工	综合工日	工日	4.15	4.11	2.97	2.98	5.86
材料	草板纸 80#	张	3.0000	3.0000	3.0000	3.0000	3.0000
	组合钢模板	kg	8.4280	8.4280	0.5750	0.5750	7.9650
	复合木模板	m²	—	—	0.2210	0.2210	—
	零星卡具	kg	7.1970	6.5240	3.4320	3.4320	1.2960
	支撑钢管及扣件	kg	4.5940	—	—	—	—

（续）

定额编号			10-4-84	10-4-85	10-106	10-107	10-4-116
项目			矩形柱		基础梁		过梁
			组合钢模板		复合木模板		组合钢模板
			钢支撑	钢支撑	钢支撑	木支撑	木支撑
名称		单位	数量				
人工	综合工日	工日	4.15	4.11	2.97	2.98	5.86
材料	模板材	m^3	0.0064	0.0064	0.0043	0.0043	0.0193
	元钉	kg	0.1800	0.4020	2.1920	3.9440	6.3160
	方撑木	m^3	0.0182	0.0519	0.0281	0.0613	0.0835
	隔离剂	kg	1.0000	1.0000	1.0000	1.0000	1.0000
	铁件	kg	—	1.1420	—	—	—
	水泥砂浆 1∶2	m^3	—	—	0.0012	0.0012	0.0012
	镀锌低碳钢丝 22#	kg	—	—	0.0180	0.0180	0.0180
	镀锌低碳钢丝 8#	kg	—	—	1.7220	1.7220	1.2040
	梁卡具（模板用）	kg	—	—	1.8510	1.8510	—
机械	木工圆锯机 500mm	台班	0.006	0.006	0.004	0.004	0.063
	汽车式起重机 5t	台班	0.018	0.011	0.011	0.007	0.008
	载货汽车 6t	台班	0.039	0.028	0.023	0.026	0.031

工作内容：（1）木模板制作。

（2）模板安装、拆除、整理、堆放及场内外运输。

（3）清理模板黏结物及模内杂物、刷隔离剂等。

单位：10m²

定额编号			10-4-123	10-4-124	10-4-125	10-4-126	10-4-127
项目			异形梁		圈梁		
					直形		
			木模板	胶合板模板	组合钢模板	复合木模板	胶合板模板
			木支撑				
名称		单位	数量				
人工	综合工日	工日	5.24	4.08	3.61	3.11	2.41
材料	水泥砂浆 1∶2	m^3	0.0003	0.0003	0.0003	0.0003	0.0003
	镀锌低碳钢丝 22#	kg	0.0180	0.0180	0.0180	0.0180	0.0180
	镀锌低碳钢丝 8#	kg	—	—	6.4540	6.4540	6.4540
	草板纸 80#	张	—	—	3.0000	3.0000	3.0000
	组合钢模板	kg	—	—	8.2560	—	—
	复合木模版	m^2	—	—	—	0.2373	—
	胶合板模板	m^2	—	1.0170	—	—	1.0170
	模板材	m^3	0.0910	—	0.0014	0.0014	—
	嵌缝料	kg	1.0000	1.0000	—	—	—
	隔离剂	kg	1.0000	1.0000	1.0000	1.0000	1.0000
	方撑木	m^3	0.1087	0.1087	0.0109	0.0109	0.0109
	元钉	kg	6.1540	6.0520	3.2970	3.2970	3.2970
机械	木工圆锯机 500mm	台班	0.089	0.028	0.001	0.001	—
	汽车式起重机 5t	台班	—	—	0.008	0.008	—
	载货汽车	台班	0.031	0.039	0.015	0.015	0.016

工作内容：(1) 木模板制作。

(2) 模板安装、拆除、整理堆放及场内外运输。

(3) 清理模版黏结物及模板内杂物、刷隔离剂等。

单位：$10m^2$

定额编号			10-4-156	10-4-157	10-4-172	10-4-173
项目			有梁板		平板	
			组合钢模板		10-4-172	
			钢支撑	木支撑	木支撑	钢支撑
名称		单位	数量			
人工	综合工日	工日	4.29	4.40	2.38	2.39
材料	水泥砂浆 1:2	m^3	0.0007	0.0007	0.0003	0.0003
	草板纸 80#	张	3.0000	3.0000	3.0000	3.0000
	镀锌低碳钢丝 22#	kg	0.0180	0.0180	0.0180	0.0180
	镀锌低碳钢丝 8#	kg	2.2140	3.2480	—	—
	组合钢模板	kg	7.7760	7.7760	—	—
	胶合板模板	m^2	—	—	1.1800	1.1800
	梁卡具（模板用）	kg	0.5890	—	—	—
	支撑钢管及扣件	kg	5.8040	—	14.8010	—
	零星卡具	kg	3.8010	3.8010	—	—
	模板材	m^3	0.0066	0.0066	—	—
	方撑木	m^3	0.0193	0.0911	0.0231	0.1050
	隔离剂	kg	1.0000	1.0000	1.0000	1.0000
	元钉	kg	0.1700	3.0250	0.1790	1.9790
机械	木工圆锯机 500mm	台班	0.004	0.013	0.004	0.004
	汽车式起重机 5t	台班	0.024	0.009	0.011	—
	载货汽车 6t	台班	0.042	0.037	0.033	0.036

工作内容：(1) 木模板制作。

(2) 模板安装、拆除、整理堆放及场内外运输。

(3) 清理模板黏结物及模板内杂物、刷隔离剂等。

单位：分示

定额编号			10-4-201	10-4-202	10-4-206	10-4-211	10-4-214
项目			楼梯		栏板	挑檐、天沟	小型池槽
			直形	圆弧形			$10m^3$外形体积
			$10m^2$				
			木模板、木支撑				
名称		单位	数量				
人工	综合工日	工日	10.63	14.29	3.03	5.36	51.29
材料	方撑木	m^3	0.1680	0.1520	0.1776	0.0387	0.3400
	隔离剂	kg	2.0400	1.6100	1.0000	1.0000	7.3000
	模板材	m^3	0.1780	0.2530	0.1169	0.0841	1.3200
	嵌缝料	kg	2.0400	1.6100	1.0000	1.0000	7.3000
	元钉	kg	10.6800	12.9800	2.5930	4.2040	45.1000
机械	木工圆锯机 500mm	台班	0.500	0.560	0.093	0.206	0.760
	载货汽车 6t	台班	0.050	0.060	0.020	0.020	0.420

第二部分 《山东省建筑工程价目表》摘录

第一章 土石方工程

定额编号	项目名称	单位	省定额价/元			
			基价	人工费	材料费	机械费
1-2-1	人工挖土方（深度）2m以内　普通土	$10m^3$	120.84	120.84	—	—
1-2-2	人工挖土方（深度）2m以内　普通土	$10m^3$	184.97	184.97	—	—
1-2-3	人工挖土方（深度）2m以内　坚土	$10m^3$	230.55	230.55	—	—
1-2-4	人工挖土方（深度）4m以内　坚土	$10m^3$	294.68	294.68	—	—
1-2-10	人工挖沟槽（槽深）2m以内　普通土	$10m^3$	171.15	170.66	—	0.49
1-2-11	人工挖沟槽（槽深）2m外　普通土	$10m^3$	232.89	232.67	—	0.22
1-2-12	人工挖沟槽（槽深）2m以内　坚土	$10m^3$	337.04	336.55	—	0.49
1-2-13	人工挖沟槽（槽深）4m以内　坚土	$10m^3$	379.17	378.95	—	0.22
1-2-16	人工挖地坑（坑深）2m以内　普通土	$10m^3$	190.63	189.21	—	1.42
1-2-17	人工挖地坑（坑深）2m以外　普通土	$10m^3$	254.02	253.34	—	0.68
1-2-18	人工挖地坑（坑深）2m以内　坚土	$10m^3$	379.84	378.42	—	1.42
1-2-19	人工挖地坑（坑深）4m以内　坚土	$10m^3$	427.33	426.65	—	0.68
1-2-56	人工装车　土方	$10m^3$	82.68	82.68	—	—
1-2-57	人工装车　石渣	$10m^3$	110.77	110.77	—	—
1-3-9	挖掘机挖土方　普通土	$10m^3$	25.55	3.18	—	22.37
1-3-10	挖掘机挖土方　坚土	$10m^3$	31.31	3.18	—	28.13
1-3-12	挖掘机挖沟槽　地坑　普通土	$10m^3$	27.72	6.36	—	21.36
1-3-13	挖掘机挖沟槽　地坑　坚土	$10m^3$	29.83	6.36	—	23.47
1-3-14	挖土方　自卸汽车1km内　普通土	$10m^3$	118.83	4.77	0.53	113.57
1-3-15	挖土方　自卸汽车1km内　坚土	$10m^3$	143.70	4.77	0.53	138.40
1-3-45	装载机装车　土方	$10m^3$	20.13	3.18	—	16.95
1-3-47	挖掘机装车　土方	$10m^3$	18.89	3.18	—	15.71
1-3-57	自卸汽车运输　土方运距1km以内	$10m^3$	68.41	1.59	0.53	66.29
1-3-58	自卸汽车运输　土方每增运1km	$10m^3$	11.94	—	—	11.94
1-4-1	场地平整　人工	$10m^3$	33.39	33.39	—	—
1-4-2	场地平整　机械	$10m^3$	5.34	0.53	—	4.81
1-4-3	竣工清理	$10m^3$	8.48	8.48	—	—

（续）

定额编号	项目名称	单位	省定额价/元			
			基价	人工费	材料费	机械费
1-4-4	基底钎探	10眼	60.42	60.42	—	—
1-4-9	松填土　人工	$10m^3$	41.87	41.87	—	—
1-4-10	夯填土（地坪）人工	$10m^3$	85.48	84.8	0.68	—
1-4-11	夯填土（地坪）机械	$10m^3$	44.91	28.09	—	16.82
1-4-12	夯填土（沟槽　地坑）人工	$10m^3$	106.68	106.00	0.68	—
1-4-13	夯填土（沟槽　地坑）机械	$10m^3$	58.96	37.10	—	21.86
1-4-17	钎探灌砂	10眼	2.19	1.17	1.02	—

第二章　地基处理与防护工程

定额编号	项目名称	单位	省定额价/元			
			基价	人工费	材料费	机械费
2-1-1	3∶7灰土	$10m^3$	1268.41	443.61	812.75	12.05
2-1-2	砂	$10m^3$	1230.51	246.98	981.38	2.15
2-1-5	碎石　干铺	$10m^3$	1274.32	356.16	911.04	7.12
2-1-6	碎石　灌浆	$10m^3$	1818.80	431.95	1335.89	50.96
2-1-13	C15（40）现浇无筋混凝土	$10m^3$	2405.26	541.13	1853.53	10.60
2-1-14	C15（40）现浇毛石混凝土	$10m^3$	2255.85	513.04	1732.21	10.60
2-3-2	打预制钢筋混凝土方桩18m以内	$10m^3$	1959.46	283.02	57.56	1618.88
2-3-3	打预制钢筋混凝土方桩30m以内	$10m^3$	1252.59	169.07	57.56	1025.96
2-3-4	打预制钢筋混凝土方桩30m以外	$10m^3$	1080.82	144.69	57.56	878.57
2-3-9	打预制钢筋混凝土管桩16m以内	$10m^3$	8988.41	537.95	657.82	2292.64
2-3-10	打预制钢筋混凝土管桩24m以内	$10m^3$	8575.76	458.98	6157.82	1958.96
2-3-22	螺旋钻机钻孔（桩长）12m以内　钻孔	$10m^3$	2011.21	528.94	123.80	1358.47
2-3-23	C20（31.5）现浇　螺旋钻机钻孔（桩长）12m以内灌注混凝土	$10m^3$	3011.97	236.38	2498.85	276.74
2-3-24	螺旋钻机钻孔（桩长）12m以外　钻孔	$10m^3$	1772.82	452.09	123.80	1196.93
2-3-25	C20（31.5）现浇　螺旋钻机钻孔（桩长）12m以外灌注混凝土	$10m^3$	2902.21	159.53	2498.85	243.83
2-3-62	预制钢筋混凝土截桩　包钢板	10根	8260.77	1015.48	3359.93	3885.36
2-3-63	预制钢筋混凝土截桩　硫黄胶泥	$10m^3$	25159.39	5109.20	4160.61	15889.58
2-3-64	预制钢筋混凝土截桩　方桩	10根	1318.53	248.04	950.20	120.29
2-3-65	预制钢筋混凝土截桩　管桩	10根	477.23	201.40	—	275.83
2-3-66	凿桩头　预制钢筋混凝土方桩（$10m^3$桩头体积）	$10m^3$	2577.61	1883.62	—	693.99

（续）

定额编号	项目名称	单位	省定额价/元			
			基价	人工费	材料费	机械费
2-3-67	凿桩头 灌注混凝土桩（$10m^3$ 桩头体积）	$10m^3$	1026.83	749.95	—	276.88
2-3-68	桩头钢筋整理（10根桩）	10根	45.58	45.58	—	—
2-4-31	10夯点以内 4击	$100m^2$	910.55	181.26	—	729.29
2-4-32	10夯点以内 每增减1击	$100m^2$	175.38	34.98	—	140.40
2-4-33	低锤满拍	$100m^2$	2577.72	310.05	—	2267.67
2-4-42	10夯点以内 4击	$100m^2$	2010.20	346.09	—	1664.11
2-4-43	10夯点以内 每增减1击	$100m^2$	431.20	74.20	—	357.00
2-4-44	低锤满拍	$100m^2$	3242.69	529.47	—	2713.22
2-5-1	木挡土板 疏板 木撑	$10m^2$	164.36	87.98	76.38	—
2-5-2	木挡土板 疏板 钢撑	$10m^2$	133.30	67.31	65.99	—
2-5-3	木挡土板 密板 木撑	$10m^2$	207.68	113.42	94.26	—
2-5-4	木挡土板 密板 钢撑	$10m^2$	168.04	86.39	81.65	—
2-6-12	轻型井点（深7m）降水 井管安装、拆除	10根	2217.04	829.98	372.41	1014.65
2-6-13	轻型井点（深7m）降水 设备使用	套天	1162.70	159.00	85.88	917.82

第三章 砌筑工程

定额编号	项目名称	单位	省定额价/元			
			基价	人工费	材料费	机械费
3-1-1	M5.0水泥砂浆砖基础	$10m^3$	2605.28	645.54	1932.23	27.51
3-1-2	M5.0混合砂浆矩形砖柱周长1.2m以内	$10m^3$	3461.48	1407.68	2030.95	22.85
3-1-3	M5.0混合砂浆矩形砖柱周长1.8m以内	$10m^3$	3358.24	1313.87	2018.91	25.46
3-1-13	M2.5混合砂浆混水砖墙180mm厚	$10m^3$	3013.91	995.87	1993.23	24.81
	M5.0混合砂浆混水砖墙180mm厚	$10m^3$	3028.37	995.87	2007.69	24.81
3-1-14	M2.5混合砂浆混水砖墙240mm厚	$10m^3$	2794.50	815.14	1953.15	26.21
	M5.0混合砂浆混水砖墙240mm厚	$10m^3$	2809.78	815.14	1968.43	26.21
3-2-1	M5.0水泥砂浆乱毛石基础	$10m^3$	1890.99	625.93	1219.26	45.80
3-2-2	M5.0混合砂浆乱毛石墙	$10m^3$	2301.99	1008.06	1248.13	45.80
3-2-3	M5.0混合砂浆乱毛石挡土墙	$10m^3$	1990.35	696.42	1248.13	45.80
3-3-7	M5.0混合砂浆黏土多孔砖墙240mm厚	$10m^3$	2684.18	629.11	2033.06	22.01
3-3-8	M5.0混合砂浆黏土多孔砖墙365mm厚	$10m^3$	2720.18	567.10	2129.58	23.50
3-3-24	M5.0混合砂浆加气混凝土砌块120mm厚	$10m^3$	2229.38	595.19	1626.54	7.65
3-3-25	M5.0混合砂浆加气混凝土砌块180mm厚	$10m^3$	2195.81	548.02	1640.14	7.65
3-3-26	M5.0混合砂浆加气混凝土砌块240mm厚	$10m^3$	2185.78	478.59	1699.54	7.65

第四章　钢筋混凝土工程

定额编号	项目名称	单位	省定额价/元			
			基价	人工费	材料费	机械费
4-1-1	现浇构件圆钢筋 $\phi4$	t	5835.30	1027.14	4761.72	46.44
4-1-2	现浇构件圆钢筋 $\phi6.5$	t	5864.87	1171.30	4652.92	40.65
4-1-3	现浇构件圆钢筋 $\phi8$	t	5405.29	758.96	4602.98	43.55
4-1-4	现浇构件圆钢筋 $\phi10$	t	5176.05	556.50	4580.00	39.55
4-1-5	现浇构件圆钢筋 $\phi12$	t	5192.59	490.78	4617.65	84.16
4-1-6	现浇构件圆钢筋 $\phi14$	t	5102.57	418.70	4608.71	75.16
4-1-7	现浇构件圆钢筋 $\phi16$	t	5045.80	369.94	4602.96	72.90
4-1-8	现浇构件圆钢筋 $\phi18$	t	5012.65	325.95	4620.43	66.27
4-1-17	现浇构件螺纹钢筋 $\phi20$	t	4945.05	291.50	4579.63	73.92
4-1-18	现浇构件螺纹钢筋 $\phi22$	t	4909.36	264.47	4576.69	68.20
4-1-19	现浇构件螺纹钢筋 $\phi25$	t	4884.63	234.79	4593.93	55.19
4-1-20	现浇构件螺纹钢筋 $\phi28$	t	4893.96	224.72	4607.95	61.29
4-1-52	现浇构件箍筋 $\phi6.5$	t	6178.62	1482.41	4652.92	43.29
4-1-53	现浇构件箍筋 $\phi8$	t	5618.69	951.88	4602.98	63.83
4-1-54	现浇构件箍筋 $\phi10$	t	5290.39	658.79	4580.00	51.60
4-1-55	现浇构件箍筋 $\phi12$	t	5116.51	519.93	4152.19	43.39
4-1-97	砌体加固筋焊接 $\phi5$ 内	t	6556.17	1054.17	5016.00	486.00
4-1-98	砌体加固筋焊接 $\phi6.5$ 内	t	5867.58	809.84	4735.29	322.45
4-1-99	砌体加固筋焊接 $\phi8$ 内	t	5639.60	701.72	4668.69	269.19
4-2-3	C20（40）现浇毛石混凝土　无梁式带形基础	$10m^3$	2232.36	339.20	1887.64	5.52
	C25（40）现浇毛石混凝土　无梁式带形基础	$10m^3$	2348.78	399.2	2004.01	5.52
4-2-4	C20（40）现浇混凝土　无梁式带形基础	$10m^3$	2407.88	356.16	2045.86	5.86
	C25（40）现浇混凝土　无梁式带形基础	$10m^3$	2544.80	356.16	2182.78	5.86
4-2-5	C20（40）现浇混凝土　有梁式带形基础	$10m^3$	2427.62	374.71	2046.49	6.42
	C25（40）现浇混凝土　有梁式带形基础	$10m^3$	2564.55	374.71	2183.42	6.42
4-2-6	C25（40）现浇毛石混凝土　独立基础	$10m^3$	2243.29	345.56	1892.21	5.52
	C25（40）现浇毛石混凝土　独立基础	$10m^3$	2359.71	345.56	2008.63	5.52
4-2-7	C20（40）现浇混凝土　独立基础	$10m^3$	2486.70	428.77	2051.51	6.42
	C25（40）现浇混凝土　独立基础	$10m^3$	2623.62	428.77	2188.43	6.42
4-2-17	C25（40）现浇混凝土　矩形柱	$10m^3$	3211.21	1015.48	2184.45	11.28
	C30（40）现浇混凝土　矩形柱	$10m^3$	3373.91	1015.48	2347.15	11.28

（续）

定额编号	项目名称	单位	省定额价/元			
			基价	人工费	材料费	机械费
4-2-18	C25（40）现浇混凝土　圆形柱	$10m^3$	3115.31	961.42	2182.61	11.28
	C30（40）现浇混凝土　圆形柱	$10m^3$	3318.01	961.42	2345.31	11.28
4-2-19	C25（40）现浇混凝土 异形柱	$10m^3$	3420.37	1225.89	2183.20	11.28
	C30（40）现浇混凝土 异形柱	$10m^3$	3583.07	1225.89	2345.9	11.28
4-2-20	C25（31.5）现浇混凝土　构造柱	$10m^3$	3404.49	1149.57	2243.64	11.28
	C30（31.5）现浇混凝土　构造柱	$10m^3$	3576.19	1149.57	2415.34	11.28
4-2-21	C25（31.5）现浇混凝土　升板柱帽	$10m^3$	3768.69	1505.73	2236.69	26.27
	C30（31.5）现浇混凝土　升板柱帽	$10m^3$	3940.39	1505.73	2408.39	26.27
4-2-22	C25（31.5）现浇混凝土　轻体墙填充混凝土	$10m^3$	3349.42	1090.74	2243.58	15.10
	C30（31.5）现浇混凝土　轻体墙填充混凝土	$10m^3$	3524.56	1090.74	2418.72	15.1
4-2-25	C25（31.5）现浇混凝土　异形梁	$10m^3$	3006.15	728.22	2270.38	7.55
	C30（31.5）现浇混凝土　异形梁	$10m^3$	3180.42	728.22	2444.65	7.55
4-2-26	C25（31.5）现浇混凝土　圈梁	$10m^3$	3431.04	1145.33	2278.16	7.55
	C30（31.5）现浇混凝土　圈梁	$10m^3$	3605.31	1145.33	2452.43	7.55
4-2-27	C25（31.5）现浇混凝土　过梁	$10m^3$	3606.10	1251.33	2347.22	7.55
	C30（31.5）现浇混凝土　过梁	$10m^3$	3780.37	1251.33	2521.49	7.55
4-2-36	C25（20）现浇混凝土　有梁板	$10m^3$	2935.68	566.04	2361.00	8.64
	C30（20）现浇混凝土　有梁板	$10m^3$	3120.81	566.04	2546.13	8.64
4-2-37	C25（20）现浇混凝土　无梁板	$10m^3$	2882.48	515.16	2358.68	8.64
	C30（20）现浇混凝土　无梁板	$10m^3$	3067.61	515.16	2543.81	8.64
4-2-38	C25（20）现浇混凝土　平板	$10m^3$	2976.50	584.06	2383.80	8.64
	C30（20）现浇混凝土　平板	$10m^3$	3161.64	584.06	2568.94	8.64
4-2-56	C20（20）现浇混凝土　挑檐　天沟	$10m^3$	3485.59	1207.87	2255.18	22.54
	C25（20）现浇混凝土　挑檐　天沟	$10m^3$	3634.89	1207.87	2404.48	22.54
4-2-57	C20（20）现浇混凝土　台阶	$10m^3$	3081.02	807.72	2250.76	22.54
	C25（20）现浇混凝土　台阶	$10m^3$	3230.32	807.72	2400.06	22.54
4-2-58	C20（20）现浇混凝土　压顶	$10m^3$	3667.09	1271.47	2395.62	—
	C25（20）现浇混凝土　压顶	$10m^3$	3816.39	1271.47	2544.92	—
4-3-1	C25（40）预制混凝土　方桩、板桩	$10m^3$	2648.88	422.94	2131.25	94.69
	C30（40）预制混凝土　方桩、板桩	$10m^3$	2802.55	422.94	2284.92	94.69
4-3-2	C25（40）预制混凝土　矩形柱	$10m^3$	2662.95	430.89	2137.37	94.69
	C30（40）预制混凝土　矩形柱	$10m^3$	2816.62	430.89	2291.04	94.69

（续）

定额编号	项目名称	单位	省定额价/元			
			基价	人工费	材料费	机械费
4-3-3	C25（40）预制混凝土 异形柱	10m³	2649.01	425.06	2129.26	94.69
	C30（40）预制混凝土 异形柱	10m³	2802.68	425.06	2282.93	94.69
4-4-15	现场搅拌混凝土 基础	10m³	207.78	121.37	35.99	50.42
4-4-16	现场搅拌混凝土 墙 柱 梁 板	10m³	238.81	121.37	35.99	81.45
4-4-17	现场搅拌混凝土 其他	10m³	286.64	121.37	35.99	129.28

第五章 门窗及木结构工程

定额编号	项目名称	单位	省定额价/元			
			基价	人工费	材料费	机械费
5-1-9	无纱门框 单扇带亮制作	10m²	444.57	45.58	392.27	6.72
5-1-10	无纱门框 单扇带亮安装	10m²	151.43	77.91	73.35	0.17
5-1-11	无纱门框 双扇带亮制作	10m²	323.01	32.33	285.72	4.96
5-1-12	无纱门框 双扇带亮安装	10m²	104.68	55.65	48.92	0.11
5-1-29	带纱门连窗框 制作	10m²	560.88	89.04	463.96	7.88
5-1-30	带纱门连窗框 安装	10m²	75.79	44.52	31.13	0.14
5-1-33	无纱镶木板门 单扇带亮制作	10m²	821.05	130.38	669.68	20.99
5-1-34	无纱镶木板门 单扇带亮安装	10m²	108.61	81.09	27.52	—
5-1-43	无纱玻璃镶木板门 双扇带亮制作	10m²	818.68	114.48	687.30	16.90
5-1-44	无纱玻璃镶木板门 双扇带亮安装	10m²	139.80	78.44	61.36	—
5-1-99	门连窗 双扇窗 门窗扇制作	10m²	632.35	86.39	530.09	15.87
5-1-100	门连窗 双扇窗 门窗扇安装	10m²	215.48	100.70	114.78	—
5-1-103	纱门扇 制作（10m² 扇面积）	10m²	492.27	108.65	369.82	13.80
5-1-104	纱门扇 安装（10m² 扇面积）	10m²	129.67	113.95	15.72	—
5-1-105	纱亮窗 制作（10m² 扇面积）	10m²	553.53	106.53	427.61	13.39
5-1-106	纱亮窗 安装（10m² 扇面积）	10m²	213.52	197.69	15.83	—
5-1-107	普通成品门扇安装（10m² 扇面积）	10m²	1183.83	58.83	1125.00	—
5-1-110	普通门锁安装	10把	940.87	41.87	899.00	—
5-3-45	双裁口单层玻璃窗 四扇带亮窗框制作	10m²	566.95	79.50	477.72	9.73
5-3-46	双裁口单层玻璃窗 四扇带亮窗框安装	10m²	83.13	55.12	27.90	0.11
5-3-47	双裁口单层玻璃窗 四扇带亮窗扇制作	10m²	604.22	78.97	508.95	16.30
5-3-48	双裁口单层玻璃窗 四扇带亮窗扇安装	10m²	293.45	140.98	152.47	—
5-3-71	纱窗扇制作（10m² 扇面积）	10m²	402.75	73.14	316.00	13.61
5-3-72	纱窗扇安装（10m² 扇面积）	10m²	120.21	103.88	16.33	—

（续）

定额编号	项目名称	单位	省定额价/元			
			基价	人工费	材料费	机械费
5-5-7	铝合金防盗网（$10m^2$ 扇面积）	$10m^2$	1473.24	196.10	1277.01	0.13
5-5-8	铝合金纱扇（$10m^2$ 扇面积）	$10m^2$	1032.01	62.01	970.00	—
5-5-22	单扇平开门　无上亮	$10m^2$	3396.92	520.99	2871.96	3.97
5-5-23	单扇平开门　带上亮	$10m^2$	3534.71	526.82	3003.92	3.97
5-5-28	双扇推拉窗　不带亮	$10m^2$	3306.36	519.93	2782.41	4.02
5-5-29	双扇推拉窗　带亮	$10m^2$	3123.94	514.63	2605.26	4.05
5-5-30	三扇推拉窗　不带亮	$10m^2$	3004.31	528.94	2471.27	4.10
5-5-31	三扇推拉窗　带亮	$10m^2$	2905.24	520.99	2380.13	4.12
5-5-35	铝合金纱门扇制作、安装（$10m^2$ 扇面积）	$10m^2$	1095.43	212.53	882.90	—
5-5-36	铝合金纱窗扇制作、安装（$10m^2$ 扇面积）	$10m^2$	943.87	212.53	731.34	—
5-6-1	塑料平开门	$10m^2$	3004.50	132.50	2871.71	0.29
5-6-2	单层塑料窗	$10m^2$	2168.45	132.50	2035.75	0.2
5-6-3	塑料窗带纱扇	$10m^2$	2661.49	222.60	2438.65	0.24
5-9-1	无纱镶板纤维板胶合板门单扇带亮	10 樘	358.76	—	358.76	—
5-9-2	无纱镶板纤维板胶合板门双扇带亮	10 樘	664.85	—	664.85	—
5-9-12	无纱门连窗　双扇窗	10 樘	709.12	—	709.12	—
5-9-14	纱门	10 扇	78.00	—	78.00	—
5-9-15	纱亮	10 扇	105.39	—	105.39	—
5-9-38	无纱单层玻璃窗　无纱双裁口玻璃窗三扇带亮	10 樘	335.71	—	335.71	—
5-9-39	无纱单层玻璃窗　无纱双裁口玻璃窗四扇带亮	10 樘	530.70	—	530.70	—
5-9-44	纱窗	10 扇	64.61	—	64.61	—
5-9-48	铝合金门　单扇平开门	10 樘	223.41	—	223.41	—
5-9-49	铝合金推拉窗　双扇	10 樘	224.00	—	224.00	—
5-9-50	铝合金推拉窗　三扇	10 樘	229.60	—	229.60	—
5-9-51	铝合金推拉窗　四扇	10 樘	411.00	—	411.00	—

第六章　屋面、防水、保温及防腐工程

定额编号	项目名称	单位	省定额价/元			
			基价	人工费	材料费	机械费
6-1-2	黏土瓦 钢、砼檩条上铺钉苇箔三层铺泥挂瓦	$10m^2$	274.85	100.70	104.10	—
6-1-14	英红瓦　两坡以内	$10m^2$	1322.39	143.63	1175.03	3.73
6-1-15	英红瓦　四坡以内	$10m^2$	1353.13	174.37	1175.03	3.73
6-1-16	英红瓦　正斜脊	10m	407.14	125.08	280.19	1.87

（续）

定额编号	项目名称	单位	省定额价/元			
			基价	人工费	材料费	机械费
6-2-5	防水砂浆 20mm 厚	$10m^2$	131.83	57.24	71.33	3.26
6-2-7	掺无机盐铝防水剂　防水砂浆 20mm 厚	$10m^2$	141.51	55.65	82.60	3.26
6-2-9	拒水粉　混凝土保护层 40mm 厚	$10m^2$	400.39	170.13	229.83	0.43
6-2-10	防水砂浆　平面	$10m^2$	118.65	48.76	66.72	3.17
6-2-11	防水砂浆　立面	$10m^2$	144.09	74.20	66.72	3.17
6-2-14	沥青油毡　二毡三油　平面	$10m^2$	363.03	41.87	321.16	—
6-2-15	沥青油毡　二毡三油　立面	$10m^2$	393.66	60.42	333.24	—
6-2-16	沥青油毡　每增减一毡一油　平面	$10m^2$	126.06	19.61	106.45	—
6-2-17	沥青油毡　每增减一毡一油　立面	$10m^2$	137.66	27.03	110.63	—
6-2-30	SBS 改性沥青卷材（满铺）一层　平面	$10m^2$	437.36	21.20	416.16	—
6-2-31	SBS 改性沥青卷材（满铺）一层　立面	$10m^2$	443.19	27.03	416.16	—
6-2-44	PVC 橡胶卷材　平面	$10m^2$	584.19	38.69	545.50	—
6-2-45	PVC 橡胶卷材　立面	10m2	595.32	49.82	545.50	—
6-2-62	冷底子油　第一遍	$10m^2$	46.26	8.48	37.78	—
6-2-63	冷底子油　第二遍	$10m^2$	31.53	6.89	24.64	—
6-2-71	聚氨酯二遍	$10m^2$	611.92	21.73	590.19	—
6-2-72	石油沥青一遍　平面	$10m^2$	111.63	6.89	104.74	—
6-2-73	石油沥青一遍　混凝土抹灰面立面	$10m^2$	117.94	9.01	108.93	—
6-3-5	憎水珍珠岩块	$10m^3$	4721.38	805.60	3915.78	—
6-3-15	现浇水泥珍珠岩	$10m^3$	2027.93	381.07	1646.86	—
6-3-16	现浇水泥蛭石	$10m^3$	2082.11	381.07	1701.04	—
6-3-22	架空隔热层　方形砖　带式支撑	$10m^2$	445.42	69.96	373.50	1.96
6-3-23	架空隔热层　方形砖　点式支撑	$10m^2$	412.90	69.96	341.82	1.12
6-3-24	架空隔热层　预制混凝土板　点式支撑	$10m^2$	257.70	51.94	204.64	1.12
6-4-9	塑料管排水　水落管 $\phi100$	10m	205.26	26.50	178.76	—
6-4-10	塑料管排水　水斗	10 个	214.18	26.50	187.68	—
6-4-25	塑料落水口	10 个	314.98	35.51	279.41	—
6-6-7	钢屑砂浆　厚 20mm	$10m^2$	338.23	108.65	229.58	—
6-6-8	钢屑砂浆　零星抹灰	$10m^2$	354.57	113.95	240.62	—
6-6-9	酸化处理	$10m^2$	38.85	34.98	3.87	—

第七章 金属结构制作工程

定额编号	项目名称	单位	省定额价/元			
			基价	人工费	材料费	机械费
7-2-1	轻钢屋架	t	8029.99	1143.21	5736.17	1150.61
7-2-2	钢屋架 1.5t 以内	t	7204.84	823.62	5566.59	814.63
7-2-3	钢屋架 3t 以内	t	7105.36	771.68	5529.39	804.29
7-4-1	柱间钢支撑	t	7201.90	880.33	5462.15	859.42
7-4-2	屋架钢支撑 十字形	t	7027.45	827.33	5423.90	776.22
7-4-3	屋架钢支撑 平面组合	t	7077.22	878.74	5336.58	861.90
7-4-4	型钢檩条	t	6666.74	631.76	5357.44	677.54
7-7-5	超声波探伤 板厚（mm）25 以内	10m	280.18	43.99	168.38	67.81
7-7-6	超声波探伤 板厚（mm）46 以内	10m	381.01	58.30	220.53	102.18
7-7-7	超声波探伤 板厚（mm）80 以内	10m	518.77	87.45	285.48	145.84
7-9-1	钢屋架 、钢托架 1.5t 以内	t	375.47	192.39	83.45	99.63
7-9-2	钢屋架 、钢托架 3t 以内	t	302.74	152.11	69.116	81.47
7-9-3	钢屋架 、钢托架 5t 以内	t	224.66	110.77	59.89	54.00
7-9-4	钢屋架 、钢托架 8t 以内	t	248.58	125.61	59.66	63.31

第八章 构筑物及其他工程

定额编号	项目名称	单位	省定额价/元			
			基价	人工费	材料费	机械费
8-1-5	M5.0 混合砂浆 筒身高度（m）20 内	$10m^3$	3853.20	1497.78	2326.69	28.73
8-1-6	M5.0 混合砂浆 筒身高度（m）40 内	$10m^3$	3490.08	1202.04	2257.82	30.22
8-1-7	M5.0 混合砂浆 筒身高度（m）40 外	$10m^3$	3539.31	1348.32	2160.40	30.59
8-3-1	C20 现浇混凝土池底	$10m^3$	2784.95	685.29	2077.12	22.54
8-3-2	C20 现浇混凝土池壁	$10m^3$	2989.18	927.50	2039.14	22.54
8-3-3	C20 现浇混凝土池盖	$10m^3$	2843.61	753.13	2067.94	22.54
8-5-21	水泥砂浆接口 管径（mm）500	10m	1317.86	162.18	1155.68	—
8-5-22	水泥砂浆接口 管径（mm）600	10m	1663.70	181.79	1481.91	—
8-5-23	水泥砂浆接口 管径（mm）700	10m	2098.83	208.82	1890.01	—
8-5-69	排水管道砂石基础 90° 管径（mm）500	10m	291.46	83.74	205.69	2.03
8-5-70	排水管道砂石基础 90° 管径（mm）600	10m	363.97	104.94	256.49	2.54
8-5-71	排水管道砂石基础 90° 管径（mm）700	10m	416.63	119.78	293.95	2.90

（续）

定额编号	项目名称	单位	省定额价/元			
			基价	人工费	材料费	机械费
8-7-19	S231（一）3＃ 有地下水	座	10736.23	2626.15	8002.22	107.86
8-7-20	S231（一）3＃ 无地下水	座	8045.65	2084.49	5864.81	96.35
8-7-33	S231ϕ700 无地下水（井深 m）2	个	789.38	226.84	557.00	5.54
8-7-34	S231ϕ700 无地下水井深每增减 0.1	个	25.34	9.54	15.52	0.28
8-7-35	S231ϕ700 有地下水（井深 m）2	个	887.56	280.37	600.07	7.12
8-7-36	S231ϕ700 有地下水井深每增减 0.1	个	30.17	12.19	17.61	0.37
8-7-49	混凝土散水 3∶7 灰土垫层	$10m^2$	549.46	197.69	345.37	6.40
8-7-50	混凝土散水 地瓜石垫层	$10m^2$	517.73	183.38	329.86	4.49
8-7-53	混凝土坡道 3∶7 灰土垫层 混凝土厚 100mm	$10m^2$	717.88	233.73	477.19	6.96
8-7-54	混凝土坡道 混凝土厚每增减 20mm	$10m^2$	52.17	11.13	40.83	0.21

第九章 装饰工程

定额编号	项目名称	单位	省定额价/元			
			基价	人工费	材料费	机械费
9-1-1	水泥砂浆在混凝土或硬基层上 20mm	$10m^2$	96.92	41.34	52.41	3.17
9-1-2	水泥砂浆在填充材料上 20mm	$10m^2$	105.74	42.40	59.42	3.92
9-1-3	水泥砂浆每增减 5mm	$10m^2$	20.18	7.42	11.92	0.84
9-1-4	细石混凝土 40mm	$10m^2$	159.02	54.59	104.11	0.32
9-1-5	细石混凝土每增减 5mm	$10m^2$	19.96	7.42	12.49	0.05
9-1-9	水泥砂浆楼地面 20mm	$10m^2$	128.55	54.59	70.79	3.17
9-1-12	水泥砂浆加浆抹光随捣随抹 5mm	$10m^2$	69.83	39.75	29.24	0.84
9-1-13	水泥砂浆踢脚线 20mm	10m	34.55	26.50	7.58	0.47
9-1-86	踢脚板 砂浆黏贴	10m	99.38	50.88	47.14	1.36
9-1-87	踢脚板 胶黏剂黏贴	10m	199.25	56.18	141.71	1.36
9-1-114	楼、地面 周长（mm 以内）2400	$10m^2$	737.32	184.97	542.20	10.15
9-1-115	楼、地面 周长（mm 以内）3200	$10m^2$	2159.15	190.80	1958.20	10.15
9-1-116	楼、地面 周长（mm 以内）4000	$10m^2$	2224.98	196.63	2018.20	10.15
9-1-169	干硬水泥砂浆全瓷地板砖 L2400 内	$10m^2$	758.45	149.46	598.65	10.34
9-1-170	干硬水泥砂浆全瓷地板砖 L3200 内	$10m^2$	2200.53	175.54	2014.65	10.34
9-1-171	干硬水泥砂浆全瓷地板砖 L4000 内	$10m^2$	2291.69	206.70	2074.65	10.34
9-1-172	水泥砂浆全瓷地板砖直形踢脚板内	$10m^2$	729.07	272.63	446.29	10.15
9-1-173	水泥砂浆全瓷地板砖异形踢脚板内	$10m^2$	790.28	313.44	466.69	10.15
9-2-20	墙面、墙裙 厚 14mm＋6mm 砖墙	$10m^2$	136.63	76.85	56.14	3.64

（续）

定额编号	项目名称	单位	省定额价/元			
			基价	人工费	材料费	机械费
9-2-31	墙面、墙裙　厚 14mm＋6mm 砖墙	$10m^2$	121.85	72.61	45.60	3.654
9-2-42	石膏砂浆　厚 7mm 砖墙、柱面	$10m^2$	111.79	85.33	24.69	11.77
9-2-60	抹灰层每增减 1mm 石膏砂浆	$10m^2$	4.66	2.12	2.35	0.19
9-2-64	砖墙勾缝	$10m^2$	39.75	36.57	2.99	0.19
9-2-77	水刷白石子　厚 12mm＋10mm 零星项目	$10m^2$	589.54	472.76	112.96	3.82
9-2-109	分格嵌缝　玻璃嵌缝	$10m^2$	46.70	42.40	4.30	—
9-2-110	分格嵌缝　分格	$10m^2$	30.74	30.74		
9-2-111	每增减一遍素水泥浆　有　108　胶	$10m^2$	12.14	6.36	5.78	—
9-2-112	每增减一遍素水泥浆　无　108　胶	$10m^2$	11.76	6.36	5.40	—
9-2-210	（规格）150mm×75mm 水泥砂浆黏贴灰缝（mm 以内）5	$10m^2$	738.70	276.66	452.19	9.58
9-2-211	（规格）150mm×75mm 水泥砂浆黏贴灰缝（mm 以内）10	$10m^2$	719.75	276.13	433.68	9.94
9-2-212	（规格）150mm×75mm 水泥砂浆黏贴灰缝（mm 以内）20	$10m^2$	682.85	275.07	397.75	10.03
9-3-3	混凝土面顶棚　水泥砂浆　现浇	$10m^2$	134.26	83.74	47.82	2.70
9-3-4	混凝土面顶棚　水泥砂浆　预制	$10m^2$	152.55	96.81	55.57	3.17
9-3-5	混凝土面顶棚　抹灰混合砂浆	$10m^2$	84.75	61.48	21.50	1.77
9-4-1	底油一遍、调和漆两遍　单层木门	$10m^2$	183.52	93.81	89.71	
9-4-2	底油一遍、调和漆两遍　单层木窗	$10m^2$	168.60	93.81	74.79	
9-4-6	调和漆三遍　单层木门	$10m^2$	332.69	191.86	140.83	—
9-4-7	调和漆三遍　单层木窗	$10m^2$	309.27	191.86	117.41	—
9-4-136	红丹防锈漆一遍　金属面	$10m^2$	49.48	20.67	28.81	—
9-4-137	红丹防锈漆一遍　金属构件	t	133.42	51.94	81.48	—
9-4-138	银粉漆两遍　金属面	$10m^2$	92.24	60.42	33.82	—
9-4-139	银粉漆两遍　金属构件	t	214.85	119.78	95.07	—
9-4-151	顶棚刷乳胶漆　两遍	$10m^2$	73.61	20.14	53.47	—
9-4-164	抹灰面刷仿瓷涂料　两遍	$10m^2$	82.90	30.74	52.16	—
9-4-184	丙烯酸外墙涂料　抹灰墙面	$10m^2$	149.20	42.93	106.27	—
9-4-209	内墙抹灰面满刮腻子　两遍	$10m^2$	31.69	23.32	8.37	—
9-4-210	内墙抹灰面满刮腻子　每增一遍	$10m^2$	11.33	7.95	3.38	—
9-4-211	外墙抹灰面满刮腻子　两遍	$10m^2$	38.87	28.62	10.25	—
9-4-212	内墙抹灰面满刮腻子　每增一遍	$10m^2$	19.80	15.90	3.90	—
9-5-83	石膏阴阳角线　宽度（mm 以内）100	10m	91.87	27.03	64.84	—
9-5-84	石膏阴阳角线　宽度（mm 以内）150	10m	81.17	31.80	49.37	—

第十章　施工技术措施项目

定额编号	项目名称	单位	省定额价/元			
			基价	人工费	材料费	机械费
10-1-2	木架 15m 以内　双排	$10m^2$	255.87	42.93	197.36	15.58
10-1-4	钢管架 15m 以内　单排	$10m^2$	92.09	34.45	47.56	10.08
10-1-5	钢管架 15m 以内　双排	$10m^2$	124.50	46.11	64.64	13.75
10-1-6	钢管架 24m 以内　双排	$10m^2$	138.80	51.94	74.03	12.83
10-1-8	钢管架 50m 以内　双排	$10m^2$	218.33	69.96	134.62	13.75
10-1-11	钢管架 110m 以内　双排	$10m^2$	612.78	207.23	389.05	16.50
10-1-14	型钢平台外挑双排钢管架 110m 以内	$10m^2$	629.11	209.35	404.97	14.79
10-1-21	钢管架 3.6m 以内　单排	$10m^2$	36.85	20.67	6.10	10.08
10-1-22	钢管架 3.6m 以内　双排	$10m^2$	49.56	28.62	6.73	14.21
10-1-27	钢管架　基本层	$10m^2$	105.22	50.88	49.76	4.58
10-1-28	钢管架　增加层 1.2m	$10m^2$	22.20	19.08	2.20	0.92
10-1-46	立挂式	$10m^2$	49.11	1.06	48.05	—
10-1-51	建筑物垂直封闭　密目网	$10m^2$	103.56	9.01	94.55	—
10-1-100	单排外木架 6m 以内	$10m^2$	121.04	20.67	92.12	8.25
10-1-101	双排外木架 6m 以内	$10m^2$	173.42	28.09	134.33	11.00
10-1-102	单排外钢管架 6m 以内	$10m^2$	58.12	22.26	27.61	8.25
10-1-103	双排外钢管架 6m 以内	$10m^2$	77.23	30.21	36.94	10.08
10-2-1	钢筋混凝土满堂基础（深度>3m）	$10m^3$	181.03	23.85	—	157.18
10-2-2	钢筋混凝土地下室　一层	$10m^2$	312.88	—	—	312.88
10-2-3	钢筋混凝土地下室　二层	$10m^2$	269.81	—	—	269.81
10-2-4	钢筋混凝土地下室　三层	$10m^2$	210.26	—	—	210.26
10-2-5	建筑物　混合结构	$10m^2$	214.03	—	—	214.03
10-2-6	建筑物　现浇混凝土结构	$10m^2$	287.82	—	—	287.82
10-2-7	单层厂房　预制排架	$10m^2$	253.94	—	—	253.94
10-2-8	多层厂房　预制框架	$10m^2$	140.23	—	—	140.23
10-2-9	影剧院混合结构　檐高（m）以内 30	$10m^2$	354.54	—	—	354.54
10-2-10	影剧院混合结构　檐高（m）以内 40	$10m^2$	407.03	—	—	407.03
10-2-11	其他混合结构　檐高（m）以内 30	$10m^2$	272.66	—	—	272.66
10-2-12	其他混合结构　檐高（m）以内 40	$10m^2$	355.94	16.43	—	339.51
10-2-54	檐高（m）以内 70	%	12.86	—	—	12.86
10-2-55	檐高（m）以内 80	%	15	—	—	15
10-2-56	檐高（m）以内 90	%	17.11	—	—	17.11
10-3-7	Ⅱ类构件运输 10km 以内	$10m^3$	1442.77	207.76	37.41	1197.60

（续）

定额编号	项目名称	单位	省定额价/元			
			基价	人工费	材料费	机械费
10-3-11	Ⅲ类构件运输 10km 以内	$10m^3$	2794.14	333.90	57.66	2402.58
10-3-12	Ⅲ类构件运输 10km 以外每增 1km	$10m^3$	181.60	32.33	149.27	—
10-3-31	Ⅱ类构件运输 10km 以内	10t	639.64	84.80	66.02	488.82
10-3-38	木门窗运输 10km 以内	$10m^2$	42.78	7.95	—	34.83
10-3-41	不带纱铝合金、塑钢门窗运输 10km 以内	$10m^2$	52.99	4.24	34.63	14.12
10-3-44	带纱铝合金、塑钢门窗运输 10km 以内	$10m^2$	54.00	4.24	34.63	15.13
10-3-51	柱构件体积（m^3 以内）6 安装	$10m^3$	1086.05	376.83	327.60	381.62
10-3-52	柱构件体积（m^3 以内）6 灌缝	$10m^3$	339.60	155.82	183.78	—
10-3-53	柱构件体积（m^3 以内）10 安装	$10m^3$	1247.96	416.05	289.10	542.81
10-3-54	柱构件体积（m^3 以内）10 灌缝	$10m^3$	130.42	39.75	90.67	—
10-3-83	T 型吊车梁　构件单体（m^3 以内）1.5	$10m^3$	740.77	261.82	40.00	438.95
10-3-85	吊车梁灌缝	$10m^3$	631.15	166.95	450.52	13.68
10-3-148	天窗架　端壁板灌缝	$10m^3$	301.99	254.40	45.68	1.91
10-3-242	单式柱间支撑（t 以内）0.3	t	1572.08	491.84	394.28	685.96
10-3-243	单式柱间支撑（t 以内）0.3	t	735.02	237.44	166.15	331.43
10-3-244	单式柱间支撑（t 以内）0.3	t	512.09	169.60	105.47	237.02
10-4-5	带形基础（无梁式）毛石混凝土　胶合板模板对拉螺栓、钢支撑	$10m^2$	296.54	103.88	178.30	14.36
10-4-6	带形基础（无梁式）毛石混凝土　胶合板模板木支撑	$10m^2$	271.97	103.35	156.13	12.49
10-4-36	高杯基础　复合木模板钢支撑	$10m^2$	374.20	153.70	194.91	25.59
10-4-37	高杯基础　复合木模板木支撑	$10m^2$	363.33	152.11	192.57	18.65
10-4-49	混凝土基础垫层　木模板	$10m^2$	290.24	67.84	216.90	5.50
10-4-84	矩形柱　组合钢模板钢支撑	$10m^2$	414.35	219.95	167.98	26.42
10-4-85	矩形柱　组合钢模板木支撑	$10m^2$	425.96	217.83	190.01	18.12
10-4-106	基础梁　复合木模板钢支撑	$10m^2$	298.39	157.41	125.20	15.78
10-4-107	基础梁　复合木模板木支撑	$10m^2$	356.52	157.94	183.29	15.29
10-4-116	过梁、组合钢模板木支撑	$10m^2$	579.77	310.58	249.47	19.72
10-4-118	过梁、胶合板模板木支撑	$10m^2$	438.13	215.71	210.17	12.25
10-4-123	异形梁、木模板木支撑	$10m^2$	614.32	287.26	310.32	16.74
10-4-124	异形梁、胶合板模板木支撑	$10m^2$	460.46	216.24	225.55	18.67
10-4-125	直形圈梁　组合钢模板木支撑	$10m^2$	341.95	191.33	139.99	10.63
10-4-126	直形圈梁　复合木模板木支撑	$10m^2$	277.52	164.83	102.06	10.63
10-4-127	直形圈梁　胶合板模板木支撑	$10m^2$	270.08	127.73	135.02	7.33
10-4-156	有梁板　组合钢模板钢支撑	$10m^2$	426.52	227.37	168.61	30.54
10-4-157	有梁板　组合钢模板木支撑	$10m^2$	505.42	233.20	250.70	21.52

（续）

定额编号	项目名称	单位	省定额价/元			
			基价	人工费	材料费	机械费
10-4-172	平板　胶合板模板钢支撑	$10m^2$	270.12	126.14	123.62	20.36
10-4-173	平板　胶合板模板木支撑	$10m^2$	357.64	126.67	214.36	16.61
10-4-201	直形楼梯　木模板木支撑	$10m^2$	1141.70	563.39	541.17	37.14
10-4-202	圆弧形楼梯　木模板木支撑	$10m^2$	1737.06	757.37	636.26	43.43
10-4-206	栏板　木模板木支撑	$10m^2$	587.68	160.59	418.28	11.81
10-4-211	挑檐　天沟木模板木支撑	$10m^2$	497.23	284.08	198.13	15.02
10-4-214	小型池槽　木模板木支撑	$10m^3$	5525.66	2718.37	2593.19	214.10

第三部分 《山东省 2011 年价目表材料单价表》摘录

编　号	材料名称	单　位	单　价
05126	黏土	m^3	28.00
06095	全瓷抛光地板砖 600mm×600mm	块	18.00
14493	木螺钉 M4×20	百个	3.90
14820	铁插销 150mm 封闭	个	1.90
81002	M2.5 混合砂浆	m^3	157.46
81003	M5.0 混合砂浆	m^3	164.25
81004	M7.5 混合砂浆	m^3	170.84
81005	M10 混合砂浆	m^3	177.96
81007	M5.0 水泥砂浆	m^3	156.95
81008	M7.5 水泥砂浆	m^3	166.73
81009	M10 水泥砂浆	m^3	174.88
81020	C202 现浇混凝土碎石<20mm	m^3	210.69
81021	C252 现浇混凝土碎石<20mm	m^3	225.40
81027	C203 现浇混凝土碎石<31.5mm	m^3	205.16
81028	C253 现浇混凝土碎石<31.5mm	m^3	219.42
81036	C154 现浇混凝土碎石<31.5mm	m^3	181.34
81037	C204 现浇混凝土碎石<31.5mm	m^3	199.93
81039	C304 现浇混凝土碎石<40mm	m^3	229.69
81040	C354 现浇混凝土碎石<40mm	m^3	241.45
81077	水泥砂浆 1∶2	m^3	273.02
81078	水泥砂浆 1∶2.5	m^3	260.23
81079	水泥砂浆 1∶3	m^3	233.82
81117	水泥蛭石 1∶12	m^3	160.24
81118	水泥珍珠岩 1∶8	m^3	157.45
81119	水泥珍珠岩 1∶10	m^3	155.39
81120	水泥珍珠岩 1∶12	m^3	155.61
81140	2∶8 灰土	m^3	69.15
81141	3∶7 灰土	m^3	80.47
81193	3∶7 灰土（就地取土）	m^3	48.27
81194	2∶8 灰土（就地取土）	m^3	32.47